# 英語と一緒に学ぶドイツ語

German in comparison with English

昂教育研究所講師
宍戸里佳
Rika Shishido

English → German

# はじめに

　この本を手に取ってくださった皆さんに、大きな拍手を送りたいと思います。英語もドイツ語も習得するという壮大な目標に向かって、新たな一歩を踏み出したところだからです。一見大それた（？）計画のように思えますが、決して無理なことではありません。「一緒になんて、どうやって？」と疑問を持ったあなた、ぜひページをめくってみてください。そして、2つの海を同時に泳いでみましょう！

　世の中は、「英語もままならないのに、このうえさらにドイツ語なんて…」という声が主流のようです。本書は、これに真っ向から対抗してみようと思います。

　ドイツ語と英語は、兄弟語だといわれるほどよく似ています。それはちょうど、日本語でいう**古文と現代文のような関係**です。古文で複雑な文法の体系を習い、現代文がすっきり見えた経験はありませんか？　英語も同じで、複雑なドイツ語の文法を理解してしまうと、その枝葉を切り落としたような形で、英語が見えてきます。**ドイツ語という鏡に映すことで、英語自身もよく見えてくる**のです。

　本書はドイツ語と英語の特性を明らかにするべく、両者の**文法を徹底的に比較**していきます。読者の皆さんにとって未知の事項が多い（はずの）**ドイツ語を軸に**進みながら、遠い過去の記憶でしかない（かもしれない）**英語の知識もリフレッシュ**してしまおう、というものです。英語が得意で**ドイツ語を初歩から学びたい人**にも、ドイツ語が好きだけれど英語はどうも苦手で…、と思っている人にもお薦めです。

　航海を終えた皆さんに、新しい世界が開けますように！

# Inhalt

英語と一緒に学ぶドイツ語

はじめに　3
本書の使いかた　7

## Einleitung（序）

1．語順あれこれ　10
2．英語は簡素化している　11
3．ドイツ語と英語の共通点　13

アルファベットと発音　14

## Teil 1（第 1 部）　動詞と文のしくみ

1. 動詞の現在形　―「英語にも動詞の活用はある！」　22
2. 動詞の位置　―「語順で決まるか、位置で決まるか」　30
3. 疑問文の作りかた　―「英語だって、引っくり返る！」　36
4. 命令文の作りかた　―「英語はなぜ原形を使うのか」　41
5. 分離動詞　―「英語でも分離する！」　47
6. 話法の助動詞　―「よく似た兄弟同士」　54
7. 否定文の作りかた①　―「**not** と **nicht**」　62
8. 副文　―「英語は従属節になる」　68
9. 接続詞　―「英語だって厳格だ！」　76
10. 副詞と副詞句　―「時と場所が逆になる」　83

第 1 部のまとめ　88

# Teil 2（第2部） 名詞と格変化

1. 名詞の性 ―「英語は一本化！」 92
2. 名詞の複数形 ―「英語は思い切って簡略化！」 98
3. 格変化とは ―「英語は語順で表現する」 103
4. 定冠詞の格変化 ―「英語は the しかないけれど」 110
5. 不定冠詞の格変化 ―「英語は a / an しかないけれど」 117
6. 否定文の作りかた② ―「『no＋名詞』が本流になる」 124
7. 所有冠詞 ―「英語は形が変わらない」 128
8. 人称代名詞 ―「I, my, me のドイツ語版」 133
9. 再帰代名詞 ―「myself は厳密に使われる」 141
10. 前置詞の格支配 ―「英語にもある！」 146

第2部のまとめ  154


# Teil 3（第3部） 動詞の時制と態

1. 再帰動詞 ―「英語は自由に自動詞化！」 156
2. 過去形 ―「-ed が -te になる」 163
3. 過去分詞 ―「過去形とは違う形になる」 168
4. 現在完了形 ―「形は同じで用法が違う」 177
5. 過去完了形 ―「英語と同じもの、あった！」 183
6. 受動態 ―「英語は be に一本化！」 187
7. 未来形 ―「英語のほうが複雑！」 196

第3部のまとめ  204

# Teil 4（第4部） 形容詞のしくみと関係代名詞

1. 形容詞の用法 ―「形容詞を副詞にできる？」 208
2. 形容詞の格変化 ―「英語に語尾はつかないのに」 212
3. 形容詞の名詞化 ―「英語は the をつけるだけ」 219
4. 比較級と最上級 ―「発想も形も英語と同じ」 224
5. 関係代名詞 ―「ドイツ語はコンマで区切られる」 229
6. 指示代名詞 ―「that のもう1つの顔」 239

第4部のまとめ　244


# Teil 5（第5部） zu 不定詞と接続法

1. zu 不定詞 ―「to 不定詞と語順が逆に」 246
2. 現在分詞 ―「うしろから修飾できない！」 256
3. 接続法とは ―「英語にも接続法はある？」 264
4. 要求話法 ―「英語で原形を使うとき」 270
5. 間接話法 ―「時制の一致は不要！」 275
6. 非現実話法 ―「なぜ過去形が仮定法になるのか」 281
7. 婉曲話法 ―「なぜ過去形で丁寧になるのか」 287

第5部のまとめ　293

エピローグ：文章の流れ―マクロな視点から　294
付録：文法用語対照表　299
コラム：英語が見えてくる！一覧　302

# 本書の使いかた

1. **全体を大きく5つに分け**、それぞれのテーマのもとに細目を並べました。**各課のタイトルはドイツ語文法を**、サブタイトルは英語との比較を表しています。

2. 各課ごとに「 例1 ～ 例3 」までの3段構成になっており、 ここが同じ！  ここが違う！ のコーナーで、英独の共通点・相違点を示しています。

3. *英文*および*英語に関する重要事項*は、*イタリック体*になっています。ドイツ語とは区別して頭に入れてください。

4.  ☆覚えよう!! のコーナーは、英語との比較で取り上げきれなかった、**ドイツ語の重要事項**をまとめています。 基本 と 応用 の2段階があるので、随時参照してください。

5.  コラム〔英語が見えてくる！〕 は、ドイツ語から見た英語の世界を紹介しています。その性格上、英語の難易度順には並んでいませんので、興味のある箇所からお読みください。

● 英語について
1. *英語の例文*は、なるべくドイツ語の文法事項に沿った、*直訳に近い形*で作ってあります。そのため、多少不自然に感じられる箇所もあるかもしれませんが、ご了承ください。

2. *英語の解説*については、手持ちの文法書を参考にしました。
   - 『A New Approach to English Grammar』江川泰一郎著、東京書籍［＝高校の授業で副読本として使用したもの］
   - 『シリウス総合英語』綿貫陽著、旺文社（重版 2000 年）［＝ドイツ留学から帰国後に、英文法を勉強するために購入したもの］
   - 『完全マスター英文法』米原幸大著、語研（初版 2009 年）

3. *英語の例文*および*英語の解説部分*は、昴教育研究所講師の高橋勢史先生に目を通していただき、無理がない形に直していただきました。

● **発音ルビについて**
1. **母音を伴わない子音**は、（カッコ）に入れてあります。
2. **アクセントのある音節**は、**太字**で示してあります。
   （ただし、2 音節以上の語のみとします。）
3. 「**R**」はひらがなの「**ら行**」、「**L**」はカタカナの「**ラ行**」で表記しています。

● **参照記号について**
- 本文中に「Ⅰ-8」などとあるのは、「第 1 部の第 8 課」の意味です。随時参照してください。

# Einleitung

序

# Einleitung(序)

## 1. 語順あれこれ

　英語を学習してきた人がドイツ語を始めるとき、もっとも戸惑ってしまうのが、英語との**語順の違い**だと思います。いくつか例を挙げてみましょう。

Sie hat lange Haare.（1）

> *She has long hair.*
> 彼女は髪が長い。

Jeden Morgen verbringt sie eine Stunde vor dem Spiegel.（2）

> *Every morning, she spends an hour in front of the mirror.*
> 毎朝1時間、彼女は鏡の前で過ごす。

Sie muss deshalb immer früh aufstehen.（3）

> *She must therefore always get up early.*
> そのため、彼女はいつも朝早く起きなくてはならない。

Sie denkt, dass es sehr wichtig ist.（4）

> *She thinks that it is very important.*
> 彼女は、このことがとても大切だと考えている。

　第1文は、**通常の文**です。ドイツ語と英語が、単語単位でみごとに呼応していますね。このように主語で始まり、動詞の要素が1つしかない文では、ドイツ語と英語の語順に違いはありません。

第 2 文は、**副詞で始まって**います。このような場合、ドイツ語では主語と動詞の順番が逆になります。「主語→動詞」という順番が重要なのではなく、「**動詞が 2 番目に来る**」という規則に従うからです［→ I -2「動詞の位置」を参照してください］。

第 3 文は、**話法の助動詞**を使った文です。ドイツ語では動詞の要素が複数になると二手に分かれ、あとに来る群が文末に置かれます。これを「**ワク構造**」とよびます。非常にドイツ語らしい構文になります。

第 4 文は、**副文**の例です。英語では*従属節*にあたります。副文ではなんと、**動詞が文末**に来てしまいます!!　英語とは大違いですね。まるで日本語のようです［→ I-8「副文」を参照してください］。

このように、ざっと概観しただけでも、ドイツ語と英語の語順には多くの違いがあります。主語が動詞よりもあとに置かれたり、遠く文末にある不定形とペアを組んだり、あげくの果てには動詞が文末に来たり…。いかにこの語順に慣れるか、が 1 つの大きなポイントとなりそうですね。

................................................................................

## 2. 英語は簡素化している

前項の例文を、もう一度よく見てみましょう。語順以外にも、実はさまざまな違いが隠れているのです。

### ① 動詞の形

「hat」(1)、「verbring**t**」(2)、「denk**t**」(4) のように、動詞の語尾はすべて「-t」になっていますね。これは、主語が 3 人称単数の「sie」(= *she*)だからです。主語がほかの人称になると別の語尾がつきますし、不定形はまた別の形をしています。このように、ドイツ語は動詞の形が**人称によって複雑に変化**します。

また、**助動詞**も同じです。「muss」(3) も不定形とは違う形になっているのです。

11

② **冠詞の形**
　第2文に冠詞が2つ使われています。英語では「*a(n)*」と「*the*」の2種類しかなく、あとにどんな名詞が来ても同じものを使いますが、ドイツ語では、**名詞の性**と**格変化**によって、**冠詞も複雑に変化**します。「eine」は不定冠詞、「dem」は定冠詞ですが、もとの形は「ein」と「der」。語尾がついたり、音が変わったり、これを覚えるのかと思うと、いやになってしまいますね。

③ **形容詞の形**
　第1文に形容詞があります。「lange」がそうですね。英語では「*long*」という形をそのまま名詞の前に持ってくればいいのですが、ドイツ語では一筋縄ではいきません。やはり**名詞の性**と**格変化**を考えて、文脈に合った**語尾**をつけなければいけないのです。例文では「lang」というもとの形に、「-e」という語尾がついています。

　このように、ドイツ語の体系は複雑です。逆を言えば、***英語は簡素***です。歴史的に見ると、ドイツ語と英語は共通の祖先から枝分かれしたらしく、当初は英語もドイツ語並みに複雑で、動詞や格変化の体系などを持っていたそうです。ドイツ語がそのままの体系で発展したのに対して、英語はほかの外国語の影響もあって、どんどん***簡素化***の道をたどっていき、今の形になりました。だから、「ドイツ語が複雑」なのではなく、「英語が簡素化した」と言うほうが正しい認識のようです。
　共通の祖先を持っているのですから、ドイツ語と英語は兄弟語、というわけですね。ドイツ語のほうが古い形を保っているので、「兄」といえそうです。「兄」の特徴は「弟」にも受け継がれていますから、「兄」が理解できると、「弟」の理解の助けにもなります。日本語でも古文を習うことで、現代文がよりよく理解できるようになるのと同じですね。

## 3. ドイツ語と英語の共通点

　これまで、ドイツ語と英語の違いばかり強調してきましたが、実は**共通点**も多くあります。まず、**単語**がよく似ていますね。前に挙げた例文では、「sie – *she*」「lang – *long*」「Haar – *hair*」「Morgen –*morning*」「muss – *must*」「denkt - *thinks*」などがそっくりです。これらは**語源が同じ**なのです。

　それから、**文の構造**も同じです。どちらも**動詞**を中心としており、動詞の働きによって、まわりの語の形や位置が決まります。

　文法的には、次のような点が共通しているといえそうです。
1）動詞、名詞、形容詞、副詞、前置詞…といった**品詞の体系**
2）**名詞**が主語か目的語のどちらかになる
3）動詞は現在形、過去形、完了形などの**時制**を作り、受動態といった**態の変化**も行える
4）**代名詞**が発達している

　感覚的に言うと、**半分は共通**していて、残りの半分が違っている、という感じでしょうか。つまり、どこが同じでどこが違うのか、はっきり見極める必要があるのです。これさえわかってしまえば、英語をドイツ語に応用できます。そして、ドイツ語の知識を英語に役立てることもできます。だって、半分は同じなのですから…！

# アルファベットと発音

〔アルファベットの読みかた①〕

| **A a** | **B b** | **C c** | **D d** | **E e** | **F f** | **G g** | **H h** |
|---|---|---|---|---|---|---|---|
| アー | ベー | ツェー | デー | エー | エ(フ) | ゲー | ハー |

| **I i** | **J j** | **K k** | **L l** | **M m** | **N n** | **O o** | **P p** |
|---|---|---|---|---|---|---|---|
| イー | ヨッ(ト) | カー | エ(ル) | エ(ム) | エ(ヌ) | オー | ペー |

| **Q q** | **R r** | **S s** | **T t** | **U u** | **V v** | **W w** | **X x** |
|---|---|---|---|---|---|---|---|
| クー | エ(ー る) | エ(ス) | テー | ウー | ファオ | ヴェー | イッ(クス) |

| **Y y** | **Z z** |
|---|---|
| ウュ(プ)スィロン | ツェッ(ト) |

☆ アルファベットは英語と共通で、数も同じです。
☆ *斜字体*は、英語とほぼ同じ読みかたをします。

〔アルファベットの読みかた②〕

● 英語にはない記号が2つあります。

1) **ウムラウト**（＝変音）**記号** ··· 母音の上に点が2つついて、音が変わります。

|  | 名称 | 音 |
|---|---|---|
| **Ä ä** | アー・ウムラウト | エー（アとエの中間の音） |
| **Ö ö** | オー・ウムラウト | オェー（オとエの中間の音） |
| **Ü ü** | ウー・ウムラウト | ウュー（ウとイの中間の音） |

→ 現在の辞書では、「A」「O」「U」と同じものとして並んでいます。

※ ドイツ語では、「Umlaut A（ウムラウト・アー）」などと言っています。

2）合字（2つの子音を合わせたもの）
　　　　　　名称　　　　　　　　音
　　　ß　　エスツェット　　　　＝「ss」
　　　→　辞書では、「ss」として並んでいます。
● 歴史的に、印刷スペースを省略するために発展したもので、ほかにもいくつかありましたが、これだけが現在まで使われています。
● 「エス・ツェット」の名称どおり、もともとは「sz」の合字だったようです。
● 小文字しかありません。

〔発音の原則〕

1）口を思い切り開けて、**はっきり発音**する
　　→　*英語のように、口ごもらない！*
2）最後の子音にいたるまで、**省略しない**
　　→　*英語やフランス語のように、発音しない文字はない！*
　（「h」のみ、発音しないこともあります。）
3）**第1音節にアクセント**があるのが基本

〔母音の読みかた①〕

● **ローマ字読み**が基本です。
　　Guten Tag!　グーテン・ター(ク)　こんにちは。
　　→　**第1音節を強く読む**ことにより、「グー」と「ター」の**音が長く**なります。

　　Danke!　ダンケ　ありがとう。
　　→　やはり第1音節にアクセントがありますが、「n」があるため、「ダ」は長く読めません。

序

15

〔母音の読みかた②〕

● **二重母音の例外**が3つあります。これだけは、しっかり覚えてください！
**ei** =「アイ」　　**eu** =「オイ」　　**ie** =「イー」
　　　　　　　　　（**äu**）
e<u>i</u>ns アイン(ス)　（数字の）1
n<u>eu</u>n ノイン　　　（ 〃 ）9
v<u>ie</u>r フィーア　　（ 〃 ）4

〔母音の読みかた③〕

● そのほかの二重母音は、ローマ字読みになります。
B<u>oo</u>t ボー(ト)　ボート
M<u>ai</u> マイ　5月
bl<u>au</u> (ブ)ラウ　青い
Kaff<u>ee</u> カッフェー　コーヒー

〔子音の読みかた①〕

● **母音の前の「s」は濁り**ます。
<u>S</u>ohn ゾーン　息子
Ei<u>s</u>en アイゼン　鉄

● それ以外の「s」は濁りません。
Bu<u>s</u> ブ(ス)　バス
Wa<u>ss</u>er ヴァッサー　水

●「ß」も濁りません。
hei<u>ß</u>en ハイセン　〜という名前である
So<u>ß</u>e ゾーセ　ソース

16

〔子音の読みかた②〕

● 「r」は喉で鳴らします。
→ フランス語の「r」と似ていますが、イタリア語のように**巻き舌**で発音する地方もあります。
Radio らーディオ　ラジオ
grün （グ)りューン　緑色の

● 母音のあとの「r」は**母音化**します。
Mutter ムッター　母
Uhr ウーア　時計

〔子音の読みかた③〕

● 「v」は濁らず、「w」は濁ります。
Vater ファーター　父
Wurst ヴ(るスト)　ソーセージ

● 「z」は濁りません。
Zeit ツァイ(ト)　時間

● 「j」は濁りません。
Jacke ヤッケ　ジャケット

〔子音の読みかた④〕

● そのほかの子音は、英語とほぼ同じ読みかたをします。
　※「l」は日本語の「ラ行」と同じ
　※「qu」は「クヴ」となる
　　Qualität （ク）ヴァリテー(ト)　品質
　※「h」は無視することも多い
　　gehen ゲーエン　行く
　　Theater テアーター　劇場
　※「y」が母音になるときは「ü」と読む
　　System ズュ(ス)テー(ム)　システム

〔子音の読みかた⑤〕

● 最後まではっきり読むため、**語末の濁音が清音化**します。非常にドイツ語らしくなります！
　halb ハ(ルプ)　半分の
　Land ラン(ト)　国
　Flug (フ)ルー(ク)　飛行

● 語末の「-g」は「ヒ」と読むこともあります。
　König コェーニッ(ヒ)　王

〔子音の組み合わせ①〕

● 「**sch**」は「**シュ**」、「**tsch**」は「**チュ**」となります。
　Schuh シュー　靴
　Deutsch ドイ(チュ)　ドイツ語

● 「**sp**」は「**シュプ**」、「**st**」は「**シュト**」となります。
　spezial （シュ)ペツィアー(ル)　特別な
　Stein （シュ)タイン　石

〔子音の組み合わせ②〕

● 「**ch**」は喉の奥で「ハ」または「ホゥ」となります。
　Na<u>ch</u>t ナ(ハト)　夜
　Bu<u>ch</u> ブー(ホゥ)　本

● 「**ch**」は「ヒ」と読むこともあります。
　Mil<u>ch</u> ミ(ルヒ)　牛乳

● 「**chs**」は「クス」となります。
　Fu<u>chs</u> フッ(クス)　キツネ

〔子音の組み合わせ③〕

● 「**tz**」は「ツ」、「**tzt**」は「ツト」となります。
　si<u>tz</u>en ズィッツェン　座っている
　si<u>tzt</u> ズィ(ツト)　「sitzen」の活用形

● 「**tio**」は「ツィオ」となります。
　Na<u>tio</u>n ナツィ**オーン**　国家

● 「**dt**」は「ト」となります。
　Sta<u>dt</u> (シュ)タッ(ト)　町

# Teil 1

(第1部)
動詞と文のしくみ

# 1 動詞の現在形
― 「英語にも動詞の活用はある！」

### 例 1　　　　　　　　　　　　　　　　　　　[不定形と活用形]

> ドイツ語：**Ich denke.** 私は考える。　[動詞の不定形：**denken**]
> 　　　　　イッ(ヒ) デンケ　　　　　　　　　　　　　　　　　デンケン
> 英　語：*I think.*　　　　　　　　　[動詞の原形：*think*]

**解説**

　まず手始めに、動詞を使って文を作ってみましょう。英語と同じで、**「主語＋動詞」**の組み合わせで**最小単位の文**が作れます。例文では「ich」という主語と、「denken」という動詞を組み合わせています。
　ここで、「Ich denk**e**.」という文の**動詞の語尾**に注目してください。動詞は「denk**en**」のはずなのに、文は「denk**e**」で終わっていますね。これが、**動詞の活用**です。英語では「*I think.*」と、動詞を原形のまま使っていますが、ドイツ語では必ず**語尾変化**を起こすのです。

● ドイツ語の**不定形**は、必ず**「-en」**か**「-n」**で終わっています。不定形から「-en」または「-n」を取り除いたものを**語幹**といいます。例文の動詞では、「denk」が語幹となります。

**ここが同じ！**
・主語と動詞で文が成り立っている
・動詞の不定形（原形）がある

**ここが違う！**
・ドイツ語は不定形をそのまま文中で使えない

## 例2 [現在形の活用]

ドイツ語：**denk-en** 考える
デンケン

|  | 単数人称 | 複数人称 |
|---|---|---|
| 1人称 | **ich denk-e** イッ(ヒ) デンケ | **wir denk-en** ヴィア デンケン |
| 2人称 | **du denk-st** ドゥー デン(クスト) | **ihr denk-t** イーア デン(クト) |
| 3人称 | **er denk-t** エア デン(クト) | **sie denk-en** ズィー デンケン |
|  | **(sie denk-t)** ズィー デン(クト) | **[Sie denk-en]** ズィー デンケン |
|  | **(es denk-t)** エ(ス) デン(クト) |  |

● 実際にはハイフンはつきません。
● 3人称単数はすべて同形なので、以後は省略します。
● 大文字の「**Sie**」は2人称の敬称で、活用語尾は3人称複数と同じになるため、以後は省略します。

英語：

*think*

|  | 単数人称 | 複数人称 |
|---|---|---|
| 1人称 | *I think* | *we think* |
| 2人称 | *you think* | *you think* |
| 3人称 | *he think-s* (*she think-s*) (*it think-s*) | *they think* |

[現在形の活用]

第1部 動詞と文のしくみ

> **解説**

　では次に、ドイツ語の現在形がどのような変化を起こすのかを見ていきましょう。

　例をじっと見てください。どの人称でも**語幹の部分は変化せず**、そのあとに「**-e**」「**-st**」「**-t**」などの語尾がついているのがわかると思います。**これが現在形の活用語尾**になります。（動詞に人称ごとの活用語尾をつけることを、**人称変化**といいます。）

　英語はどうでしょうか。英語では「*think*」という原形がそのまま現在形として使われ、3 人称単数の場合にのみ、語尾に「*-s*」がついていますね。いわゆる「***3 単現の s***」ですが、これは実は、動詞が人称ごとに活用した結果の語尾なのです。英語はほとんどの人称の現在形で活用語尾がつかないのですが、3 人称単数のみ、*活用語尾の*「**-s**」がつくのです。

● 例 2 にある「-e」「-st」「-t」「-en」「-t」「-en」という現在形の活用語尾は、特殊な例外を除き、**すべての動詞に共通**です。特に、**不定形と同形になる 1 人称複数**と **3 人称複数**は、この際にしっかり覚えてしまいましょう。

> **ここが同じ！**

・現在形が人称変化を起こして活用語尾がつく

> **ここが違う！**

・英語は原形に語尾がつく
・ドイツ語は**語幹**（＝不定形から「-en」または「-n」を取ったもの）に語尾がつく

> **ポイント：簡素化のしくみ**

ドイツ語では、すべての人称に違う語尾がつく
　　⇒　英語では、ほぼすべての人称で**語尾を省略**する

## 例 3 [不規則動詞の現在形]

ドイツ語：**Ich lese Romane, aber er liest**
イッ(ヒ) レーゼ ろマーネ アーバー エア リー(スト)
**nur Zeitungen.** ［動詞の不定形：*lesen*］
ヌア ツァイトゥンゲン レーゼン
私は小説を読むが、彼は新聞しか読まない。

英　語：*I read novels, but he only reads*
*newspapers.* ［動詞の原形：*read*］

### 解説

現在形のしくみがわかったところで、**不規則動詞**の活用を見ていきましょう。

英語にも、自動的に「-s」をつけられない動詞があります。

　*I cry.* → *He cries.*

のような例がありましたね。ただしこれは、主に表記上の問題であって、動詞本体の音が変化しているわけではありません。

これに対してドイツ語では、**語幹の音が変わってしまう活用変化**があります。例文では「lesen」という不定形から、3人称で「liest」という活用形になっていますね。

不規則動詞の現在変化には、次のような特徴があります。

1) **2人称単数と3人称単数の場合のみ、語幹が変化**

　① 「a」→「ä」へ
　　ア　　エ
　　例：schlafen → du schläfst, er/sie/es schläft（眠る）
　　　　(シュ)ラーフェン　　(シュ)レー(フスト)　　(シュ)レー(フト)

　② 「e」→「i」へ
　　エ　　イ
　　例：helfen → du hilfst, er/sie/es hilft（助ける）
　　　　ヘ(ル)フェン　　ヒ(ルフスト)　　ヒ(ルフト)

③「e」→「ie」へ
　　　エー　　イー
　例：sehen　→　du siehst, er/sie/es sieht（見る）
　　　ゼーエン　　　ズィー(スト)　　ズィー(ト)

2) 語幹が変化しても、**活用語尾は規則動詞と共通**

● 2人称単数と3人称単数**以外**では、規則動詞と同じ変化をします。例文にある「Ich lese」という活用形は、例2で見た「Ich denke」とまったく同じ作りになっていますね。

　ここが同じ！
　・規則的に作れない現在形がある

　ここが違う！
　・ドイツ語の不規則動詞は、**語幹が変化**する

## 覚えよう!! ― 特殊な変化をする重要動詞 ［基本］

1) sein　　　　　　　　　　　　　　be
   ザイン

   ich bin　　　wir sind　　　I am　　　we are
   　ビン　　　　ズィン(ト)

   du bist　　　ihr seid　　　you are　　you are
   　ビ(スト)　　　ザイ(ト)

   er ist　　　　sie sind　　　he is　　　they are
   　イ(スト)　　　ズィン(ト)

● 英語の「be 動詞」に相当する動詞です。不定形とは似ても似つかない活用をするので、早めに覚えてしまいましょう。複数人称はすべて「**-d**」で終わりますが、**発音は「-t」と同じになります**。3人称単数の「ist」が英語の「is」とよく似ていますね！

2) haben　　　　　　　　　　　　　have
   ハーベン

   ich habe　　　wir haben　　I have　　we have
   　ハーベ　　　　ハーベン

   du h<u>a</u>st　　　ihr habt　　　you have　　you have
   　ハ(スト)　　　ハ(プト)

   er h<u>a</u>t　　　sie haben　　he has　　they have
   　ハッ(ト)　　　ハーベン

● 英語の「have」と同じ働きをする動詞です。2人称単数・3人称単数で「**b**」の音が抜けてしまいます。英語と兄弟であることを実感させる語です。

3）werden
　　ヴェ(る)デン

　　ich werde　　　　　　wir werden
　　　ヴェ(る)デ　　　　　　　ヴェ(る)デン

　　du wirst　　　　　　　ihr werdet
　　　ヴィ(る)スト　　　　　　ヴェ(る)デッ(ト)

　　er wird　　　　　　　 sie werden
　　　ヴィ(る)ト　　　　　　　ヴェ(る)デン

● 「～になる」という意味になるほか、**未来形や受動態の助動詞**としても使うので、非常に重要です。不規則な変化をするので、2人称単数・3人称単数で「**e**」→「**i**」と音が変わります。3人称単数の語尾が「-t」とならず、「-d」となることにも注意してください。

> ここに注意！

- 英語の*現在進行形*にあたる表現はありません。**現在形で代用**します。

  *I **am reading** a novel now.*
  → Ich <u>lese</u> jetzt einen Roman.　私は今、小説を読んでいる。
  　イッ(ヒ)　レーゼ イェ(ツト)　アイネン ろマーン

- ドイツ語では、**未来**のことも現在形で表現します。

  *The bus **will come** soon.*
  → Der Bus <u>kommt</u> gleich.　バスはすぐに来るよ。
  　デア　ブ(ス)　コ(ムト)　(グ)ライ(ヒ)

- *継続*の意味で使う*現在完了形*も、ドイツ語では現在形です。

  *We **have been** friends for ten years.*
  → Wir <u>sind</u> seit zehn Jahren Freunde.
  　ヴィア ズィン(ト) ザイ(ト) ツェーン ヤーレン (フ)ろインデ
  　私たちは10年前からずっと友だちだ。

兄弟語とはいえ、だいぶ発想が違いますね。ドイツ語の現在形は守備範囲が広く、感覚的には、どちらかというと日本語の現在形に近いような気がします。

- 本書ではドイツ語のしくみに慣れるため、第2部の終わりまで、多少不自然ではありますが、**ドイツ語の現在形を*英語の現在形***で訳していきます。ご了承ください。

第1部　動詞と文のしくみ

# 2 動詞の位置 ―「語順で決まるか、位置で決まるか」

### 例 1　　　　　　　　　　　　　　　　　　　[動詞が 2 番目]

ドイツ語：**Ich habe heute Geburtstag.**
　　　　　イッ(ヒ) ハーベ　ホイテ　　ゲブ(るツ)ター(ク)
　　　　　私は今日、誕生日だ。

英　　語：***I have my birthday today.***

**解説**

　現在形のしくみがわかってきたところで、次は**文の組み立て**を見ていきましょう。例文では、英語もドイツ語も、

　　**主語** → **動詞** →　その他の要素（副詞、目的語）

の順番で文が組み立てられています。書き出しだけを見ると、

　　Ich habe ...
　　*I have ...*

とまったく同じですね。

　でも実は、背後には大きな違いが隠れているのです。

　英語の場合、「***基本 5 文型***」というものがあり、「***S+V+...***」の公式に沿って文を組み立てることが要求されていましたね。これはつまり、「この***順番***で文を作りなさい」という指令だったわけです。例文は、「***S+V+O***」の第 3 文型にあたります。

　これに対し、ドイツ語には「基本文型」という発想はなく、「**定形第 2 位**」という大原則があります。「定形」とは、**主語に応じて人称変化をしている動詞**、という意味で、これが **2 番目**に来ますよ、というわけです。

　具体的には、例文では「ich」という**主語が文の 1 番目の要素**にあり、**2 番目の要素として動詞の定形**「habe」が置かれています。これが、「定

形第2位」の考えかたになります。

● 「**不定形**」とは、主語に応じて**人称変化をしていない**動詞のことで、「定形」と対をなしています。

● 例文では動詞のあと、**目的語の位置**が英語とドイツ語で異なっています。ドイツ語では、**動詞と結びつきの強い語は文末に置かれる**傾向があるためです。

### ここが同じ！
・「主語→動詞」という文が作れる

### ここが違う！
・英語は「主語→動詞」という**順番**が決まっている
・ドイツ語は「**動詞が2番目**」と決まっている

---

## 例 2 　　　　　　　　　　　　　　　　[副詞で始まる文]

ドイツ語：**Heute habe ich Geburtstag.**
　　　　　ホイテ　　ハーベ　イッ(ヒ)　ゲブ(るツ)ター(ク)
　　　　　今日、私は誕生日だ。

英　語：*Today, I have my birthday.*

### 解説

「定形第2位」の考えかたを使って、いろいろな文を作ってみましょう。まずは、**副詞が文頭にある場合**です。英語では「*today*」という副詞で文を始めても、あとには「主語→動詞」が続き、この順番に影響はありませんでしたね。

ところがドイツ語では、副詞で文を始めると、**主語と動詞の順番**が逆

になります。「heute」という副詞の直後に「habe」という動詞があり、そのあとに「ich」という主語がありますね。**「動詞→主語」**という順番になってしまうのです。

　これはまさに、「定形第2位」の原則によるものです。副詞で文を始めた場合、**副詞を1番目の要素**だと考えます。すると当然、次の語は2番目の要素になりますので、動詞が来るわけです。主語は結果的に、動詞の直後に置かれます。

　図式化すると、次のようになります。

[1番目の要素]　　［2番目の要素］　　［3番目以降の要素］
　　主語　　→　　<u>動詞</u>　　→　　それ以外
　　副詞　　→　　<u>動詞</u>　　→　　主語　→　それ以外

● 「1番目の要素」は**1語だけとは限りません**。副詞句や前置詞句など、複数の語が動詞の前に置かれることもあります。いずれも、「要素として数えると1つ」ということです。

#### ここが同じ！
・副詞を文頭に置ける

#### ここが違う！
・英語は「主語→動詞」の語順に影響を及ぼさない
・ドイツ語では**動詞が先、主語があと**になる

---

### 例3　　　　　　　　　　　　　　　　　　［目的語で始まる文］

ドイツ語：**Geburtstag <u>habe</u> ich heute.**
　　　　　ゲブ(るッ)ター(ク)　ハーベ　イッ(ヒ) ホイテ
　　　　　誕生日なの、今日。

英　語：× *My birthday I <u>have</u> today.*

32

> 解説

　どんどん行きましょう！　最後は、**目的語で文が始まる場合**です。英語ではめったにお目にかかりませんね。
　例文を見てください。主語と動詞の関係は、副詞で文が始まった場合と同じになっています。つまり、**目的語を1番目の要素**だと考えるので、2番目に来なくてはならない動詞が次に続き、結果的に主語があとになるのです。
　これもあわせて図式化してみましょう。

　　　［1番目の要素］　　　［2番目の要素］　　　［3番目以降の要素］
　　　　主語　　　→　　　　動詞　　　→　　　それ以外
　　　　副詞　　　→　　　　動詞　　　→　　　主語　→　それ以外
　　　　目的語　　→　　　　動詞　　　→　　　主語　→　それ以外

　いかがでしょうか？　「動詞が2番目に来る」という原則は、絶対に（!!）譲れません。そのため、主語以外のものが文頭にある場合、**主語よりも先に動詞**が置かれることになるのです。

● 「目的語が文頭にあったら、主語と間違えてしまうのでは？」という心配は、ご無用です。**動詞の活用変化**を思い出してください。例文では、「Geburtstag」が主語だとしたら、動詞は3人称単数の「hat」という形にならないといけませんね。ところが動詞は「habe」なので、ここを読んだ時点で、「Geburtstagは主語ではない」と認識することができるのです。（それでも紛らわしい場合は、後述する**格変化**を考えると、「目的語 ≠ 主語」ということが認識できます。）

> ここが違う！

・ドイツ語は目的語を文頭に置ける
　→　**動詞が先、主語があとになる**

### 〔英語が見えてくる！〕英語の倒置

　英語にも、主語と動詞の順番が逆になる場合があります。よく使われるものを5つ挙げてみましょう。

### 1)「*there is / are* ～」の構文
　これは中学で習うので、皆さんおなじみの構文でしょう。「*there*」は主語ではないので、「*is / are*」のあとに来る語を主語として訳す、と習いましたよね。
　この構文をよく見ると、**「*there*」は副詞**です。その次に**動詞**が続き、**主語はあと**に置かれます。ドイツ語で副詞が文頭にある場合と、語順が同じになっているのです。

### 2)「*so*」「*neither*」などを使った慣用表現
　相づちを打つとき、「*So do I.*」「*Neither am I.*」などという表現がありますね。これも**副詞で始まり**、主語と動詞が引っくり返っている例です。

### 3) 否定語句などを使った倒置表現
　否定を意味する**副詞**（*never, little, few, only* など）が文頭に出ると、主語と動詞が引っくり返ります。否定を強調するための語順です。
　例：*Never have I seen that.*　一度だって、そんなもの見たことないよ。

### 4) 補語を文頭に置く表現
　いわゆる「*S+V+C*」の文型で、**補語**となる *C* の部分が文頭に出ると、やはり主語と動詞が引っくり返ります。補語を強調するときと、主語が長すぎてバランスがとれないときなどに使われるようです。
　例：*Great was his surprise.*　彼の驚きは大きかった。

### 5) 場所の副詞（句）を文頭に置く表現
　場所の副詞（句）で始まる文も、動詞が先に来ることが多いようです。「副

詞→動詞→主語」となって、ドイツ語の「定形第2位」の法則とまったく同じですね。

　例：*At the top of the mountain <u>stood</u> a great castle.*
　　　山の頂上に大きな城があった。

　いずれも「*倒置*」などというものものしい名前がついており、3）4）5）は英語でも「難しい」部類の文法に入るようですが、ドイツ語ではごく自然に、**「定形第2位」の法則**として身についているものです。
　このように、ある言語では難しく、どちらかというと例外に属する文法事項でも、ほかの言語では基本的な文法だったりしますので、こんなところにも、第3の言語を学ぶ利点がある、というわけです。ドイツ語の知識を、ぜひ英語にも生かしていきましょう!!

## 3 疑問文の作りかた
― 「英語だって、引っくり返る！」

### 例 1 　　　　　　　　　　　　　　　　　　　　　　　　　　[動詞で始める]

> ドイツ語：**Hörst du etwas?**
> 　　　　　ホェー(るスト) ドゥー エ(ト)ヴァ(ス)
> 　何か聞こえる？
>
> 英　語：***Do you hear something?***

**解説**

　ドイツ語ではとにかく、動詞が 2 番目に来ます。ただし、この原則は**平叙文**にだけ使われるものです。ここでは、**疑問文**での動詞の位置を見ていきましょう。

　疑問文を作るには、英語では「*Do*」か「*Does*」(過去形の場合は「*Did*」)で文を始める必要がありましたね。

　　　*You hear something.* 　→ 　***Do you hear something?***

という具合です。よく見ると、平叙文の頭に「*do*」という助動詞をくっつけただけで、文本体の語順は何も変わっていない、というのがわかると思います。英語はあくまで、「*S+V*」の順序を守りたいのですね。

　ドイツ語では主語と動詞の順番にこだわらないので、「*do*」や「*does*」などの小道具はいりません。疑問文の作りかたはもっと単純です。**動詞で文を始めれば**、もうそれだけで疑問文になってしまいます。

　　　Du hörst etwas. 　→ 　**Hörst** du etwas?

　逆にいえば、**動詞で始まる文は疑問文**である、ともいえそうです。これを「**定形第 1 位**」といいます。疑問文では動詞が文頭にある、というわけです。

● 動詞で始まる文は、ほかに命令文もあります。次の課を参照してください。

> ここが違う！
> ・英語では助動詞（*do* など）を文頭に置き、S+V の順序を動かさない
> ・ドイツ語では**動詞で疑問文を始める**

## 例 2　　　　　　　　　　　　　　　　　[英語も動詞で始める]

ドイツ語：**Ist das unser Telefon?**
　　　　　イ(スト)　ダ(ス)　ウンザー　テレフォーン
　　　　　うちの電話かな？

英　語：*Is that our phone?*

### 解説

英語はなるべく **S+V** の順序を動かしたくないため、いろいろな工夫をしているのですが、そうはいっても、***動詞から始まる疑問文***もあります。be 動詞や助動詞を使っている文は、動詞（または助動詞）と主語を引っくり返すだけで、疑問文ができますね。たとえば、

　*That is our phone.* → *Is that our phone?*
　*You can get it.* → *Can you get it?*　電話に出られる？

となります。こうなると、ドイツ語の疑問文と、語順は変わりませんね。

それだけではありません。例1に出てきた疑問文だって、よく見直してみると、新しい発見があると思います。つまり、

　*Do you hear something?*

というように、初めの2語だけ見ると、***助動詞と主語が引っくり返っ***ているのです！

英語もドイツ語も、出発点は「**引っくり返す**」ということのようですね。ドイツ語ではこの原則がすべての場合に適用され、英語では一部にだけ残った、ということがいえそうです。（ちなみにフランス語でも、疑問文は「引っくり返す」のが基本になります。）

**ここが同じ！**

・英語でも、（助）動詞から始まる疑問文がある
　→　結果的に、（助）動詞と主語の順番が引っくり返る！

---

**例 3**　　　　　　　　　　　　　　　　　　　　　　　　[疑問詞で始まる文]

> ドイツ語：**Was denkst du?**
> 　　　　　ヴァ(ス)　デン(クスト)　ドゥー
> 　　　　どう思う？
>
> 英　語：***What do you think?***

**解説**

最後に、**疑問詞**で始まる疑問文を見ていきましょう。この場合、疑問詞がすでに文頭にあるので、動詞は文頭に置けません。平叙文と同じように、「**定形第2位**」が適用されることになります。

例文では、「was」（= *what*）という疑問詞が**目的語**として文頭にあるので、これを1番目の要素と考えて、次に動詞を続けます。結果的に、主語が引っくり返っていますね。

（英語ではやはり、「*do*」という助動詞を間に入れて、*S+V* の順序を守っています。）

● **疑問詞が主語**の場合、そのまま動詞を続けます。（英語はそのまま *S+V* になります。）

Wer kennt unsere Telefonnummer?
ヴェア　ケン(ト)　**ウン**ぜれ　テレフォーン・**ヌン**マー

うちの電話番号を知っているの、だれ？
*Who knows our phone number?*

● **疑問詞が副詞**の場合、例3と同じ語順になります。（英語は「*do*」を入れます。）

Wie lösen wir das Rätsel?　　どうやってこの謎を解く？
ヴィー ロェーゼン ヴィア ダ(ス) れーツェ(ル)

*How do we solve the mystery?*

図式化すると、次のようになります。平叙文の場合と変わりませんね。

［1番目の要素］　　　［2番目の要素］　　　［3番目以降の要素］
　疑問詞（主語）　→　　動詞　　→　それ以外
　疑問詞（副詞）　→　　動詞　　→　主語　→　それ以外
　疑問詞（目的語）　→　　動詞　　→　主語　→　それ以外

● 英語でも *be* 動詞や助動詞を使っている場合は、***S+V*** の順序が逆になります。疑問詞を使わない疑問文と同じですね。

*How can we solve the mystery?*　どうしたらこの謎が解ける？

**ここが同じ！**
・疑問詞を使う場合は文頭に置く
・疑問詞が主語の場合、S+V の語順となる

**ここが違う！**
・疑問詞が副詞および目的語の場合、英語では「*do*」などを挟む
・ドイツ語では**動詞が先、主語があと**になる

## 覚えよう!! — ドイツ語の5W1Hは？[基本]

英語の疑問詞は、俗に「5W1H」と呼ばれていますが、ドイツ語でもそれに対応したものがあります。ただし、すべて「**w**」で始まります！

who　　=　wer（だれが）　　　what　　=　was（何が、何を）
　　　　　　ヴェア　　　　　　　　　　　　　　ヴァ(ス)

when　=　wann（いつ）　　　where　=　wo（どこに）
　　　　　　ヴァン　　　　　　　　　　　　　　ヴォー

why　　=　warum（なぜ）　　　how　　=　wie（どのように）
　　　　　　ヴァるー(ム)　　　　　　　　　　　ヴィー

### ここに注意！

● **付加疑問文**は、ドイツ語にはありません。**副詞**を使って表現します。

*You don't have time, **do you**?*　時間、ないんだよね？
→ Du hast keine Zeit, **oder**?
　ドゥー ハ(スト) カイネ ツァイ(ト) オーダー

*You are a student, **aren't you**?* 学生だよね？
→ Du bist Student, **nicht wahr**?
　ドゥー ビ(スト) (シュ)トゥデン(ト) ニ(ヒト) ヴァー

● 英語では**答えの文を省略**しますが、ドイツ語に**省略形はありません**。完全な文で答えるか、何も続けないか、どちらかになります。

*Do you have time? – Yes, **I do.** / No, **I don't**.*　時間ある？
→ Hast du Zeit?　 – Ja(, ich habe Zeit).
　ハ(スト)ドゥー ツァイ(ト)　　ヤー イッ(ヒ) ハーベ ツァイ(ト)

　　　　　　　　　　/ Nein(, ich habe keine Zeit).
　　　　　　　　　　　ナイン イッ(ヒ) ハーベ カイネ ツァイ(ト)

# 4 命令文の作りかた
― 「英語はなぜ原形を使うのか」

### 例 1　　　　　　　　　　　　　　　　　[動詞の語幹を使う]

ドイツ語：**Warte! Komm hierher!**
　　　　　ヴァ(る)テ　コ(ム)　　ヒーアヘア
　　　　　待って。こっちに来てよ。

英　語：***Wait. Come here.***

**解説**

「**定形第 2 位**」が適用されないもう 1 つの例として、命令文を見てみましょう。

英語では、命令文には**動詞の原形**を使いましたね。例文の「*wait*」「*come*」はともに、辞書に載っている形そのままで、何も足さず、何も引いていません。

ところが、ドイツ語では不定形を使っているわけではないようです。「warte」の不定形は「warten」、「komm」の不定形は「kommen」のはずですね。

ドイツ語の命令形は、**動詞の語幹**を使います。語幹とは、不定形から語尾の「-en」または「-n」を取った形です。（これに、さらに「-e」をつける場合もあります。）

不定形　　　　　語幹　　　　　命令形
wart-en　　→　　wart　　→　　Warte!
komm-en　　→　　komm　　→　　Komm!

どちらの言語も、動詞のもっとも**基本的な形**を使っていますね。そしてこれが**文頭**に置かれ、**主語が省略**されます。英語もドイツ語も、根っ

こは同じなのですね。

● **不規則動詞**のうち、語幹が「**e**」→「**i(e)**」に変わるものは、命令形でも**語幹を変化**させたまま使います。

不定形　　　　　　　　変化した語幹　　命令形

vergessen（忘れる）　→　vergiss　→　Vergiss es!　忘れて！
フェアゲッセン　　　　　　　フェアギ(ス)　　フェアギ(ス) エ(ス)

lesen（読む）　　　→　lies　　→　Lies es!　読んで！
レーゼン　　　　　　　　　　リー(ス)　　　リー(ス) エ(ス)

● ドイツ語の命令文は、最後に必ず「！」をつけることになっています。

**ここが同じ！**
・命令文は動詞で始める
　→　動詞の形は、もっとも「基本的」な形になる
・主語を省略する

**ここが違う！**
・英語では*原形*、ドイツ語では**語幹**を使う

---

**例 2**　　　　　　　　　　　　　　**[ihr に対する命令形]**

ドイツ語：**Wartet! Kommt hierher!**
　　　　　ヴァ(る)テッ(ト)　コ(ムト)　　　ヒーアヘア
　　　　　待って。こっちに来てよ。

英　語：***Wait. Come here.***

**解説**

さて、根っこは同じなのですが、枝葉はだいぶ違ってきています。例

1で紹介したのは、実は**命令する相手が2人称単数**、つまり1人の場合でした。ここでは、命令する相手が**複数**いる場合を見ていきます。

（英語の2人称は *you* しかなく、相手が単数でも複数でも使えたので、命令形も1種類なのですが、ドイツ語の2人称は**単数の du** と**複数の ihr** を使い分けるので、命令形もそれに応じて変化するのです。）

そうはいっても、そんなに複雑ではありません。複数の相手に命令するときは、**2人称複数の現在形をそのまま使えばいいのです。**

| 不定形 | 現在形 | 命令形 |
|---|---|---|
| warten | → ihr warte**t** | → Warte**t**! |
| kommen | → ihr komm**t** | → Komm**t**! |

● 不規則動詞でも、現在形をそのまま使えます。2人称複数では、語幹が変化しませんでしたね！

| vergessen | → ihr verge**sst** | → Verge**sst** es!　忘れて！ |
|---|---|---|
| フェア**ゲ**ッセン | イーア フェア**ゲ**(スト) | フェア**ゲ**(スト) エ(ス) |
| lesen | → ihr les**t** | → Les**t** es!　読んで！ |
| **レ**ーゼン | イーア レー(スト) | レー(スト) エ(ス) |

**ここが違う！**

・命令する相手が単数か複数かで、ドイツ語では命令形を使い分ける
　→　複数の場合、**2人称複数の現在形を使う**

---

## 例 3 　　　　　　　　　　　　　　　[Sie に対する命令形]

ドイツ語：**Warten Sie! Kommen Sie hierher!**
　　　　　ヴァ(る)テン　ズィー　コンメン　ズィー　ヒーアヘア
　　　　　待って。こっちに来てくださいよ。

英　語：***Wait. Come here.***

**解説**

　ところで、ドイツ語の2人称には「**敬称**」もあります。文中でも大文字で書き始める「**Sie**」です。（親しい相手に使う「du」は、「**親称**」といいます。）

　この大文字の「Sie」は、**単数も複数も同じ形**を使い、動詞の現在形は不定形と同じ活用になります。命令形でも**現在形をそのまま**使えるのですが、文中に「Sie」という**主語が残り**ます。これが唯一、今までと違う点ですね。命令文は動詞で始まるので、結果的に、主語が動詞のあとに来ます。

　不定形　　　　　現在形　　　　　　命令形
　warten　　→　Sie wart**en**　→　Warten Sie!
　kommen　→　Sie komm**en**　→　Kommen Sie!

● 「Sie」に対する命令文は、実は**疑問文と語順が同じ**です。文末の「！」を「？」に変えるだけで、疑問文が作れてしまいます！
　Warten Sie?　お待ちですか？
　Kommen Sie?　いらっしゃいますか？

● 一般に、ドイツ語の**親称（du および ihr）**は友だちや家族や子ども、**敬称（Sie）**はそれ以外の大人に使われますが、時代や地方によって、区別のしかたには違いがあります。

**ここが違う！**

・命令する相手が**敬称**で話す相手のとき、親称とは違う命令形を使う
　→　「Sie」の現在形を文頭に置き、主語を残す

## 覚えよう!! ― sein 動詞の命令形 [基本]

英語の be 動詞にあたる sein 動詞も、英語と同じように命令文に使えます。

*Be quiet.* → **Sei** ruhig!　静かに！
　　　　　　ザイ **るー**イッ(ヒ)

*Be careful.* → **Sei** vorsichtig!　気をつけて！
　　　　　　　ザイ **フォ**アズィ(ヒ)ティ(ヒ)

命令形は**動詞の語幹**を使うので、「sein」から「-n」を取って、「**sei**」という形になります。これは、「du」に対する命令形でしたね。

● 複数の「ihr」に対する命令は、現在形をそのまま使うので、

　**Seid** ruhig!
　ザイ(ト) **るー**イッ(ヒ)

　**Seid** vorsichtig!
　ザイ(ト) **フォ**アズィ(ヒ)ティ(ヒ)

となります。語尾の「-d」は濁りませんので、発音に注意してください。

● 敬称の「Sie」に対しては、sein 動詞のみ特殊な形になります。

　**Seien** Sie ruhig!　（× Sein Sie ruhig!）
　ザイエン ズィー **るー**イッ(ヒ)

　**Seien** Sie vorsichtig!　（× Sein Sie vorsichtig!）
　ザイエン ズィー **フォ**アズィ(ヒ)ティ(ヒ)

あとに出てくる、接続法第 1 式と同じ形になり、間に「-e-」が入り込みます。そしてやはり、主語の「Sie」が残ります。

第 1 部　動詞と文のしくみ

> **ここに注意！**

- **否定の命令文**を作るのに、特に決まった形はありません。あとに出てくる否定文と同じように、否定の副詞（**nicht**）を文中に入れたり、否定の冠詞（**kein**）を名詞の前につけたりします。

    *Don't run.* → Lauf **nicht**!
    　　　　　　　ラウ(フ) ニ(ヒト)
    　走らないで！

    *Don't be shy.* → Sei **nicht** scheu!
    　　　　　　　　 ザイ　ニ(ヒト)　ショイ
    　恥ずかしがらないで！

    *Don't drink beer.* → Trink **kein** Bier!
    　　　　　　　　　　(ト)リン(ク) カイン ビーア
    　ビールを飲まないで！

# 5 | 分離動詞 —「英語でも分離する！」

### 例 1　　　　　　　　　　　　　　　　　　　　［分離動詞とは］

> ドイツ語：**Ich gehe aus.**
> 　　　　　イッ(ヒ)　ゲーエ　アゥ(ス)
> 　　　　　私は出かける。
>
> 英　語：*I go out.*

**解説**

　ドイツ語文の基本的な構造がわかってきたところで、次は**分離動詞**に挑戦してみましょう。英語にもフランス語にもないので、「なんで分離しちゃうの？」と目を白黒させる学習者がいちばん多い項目です。

　例文を見てください。2つの文はよく似ていますね。「**主語＋動詞＋α**」という要素からできています。いずれも、「動詞＋α」の部分で、**1つのまとまった意味**を表しています。「gehen / *go*」（＝行く）に「aus / *out*」（＝外へ）が加わって、「出かける」という意味になるのですね。

　しかし、ここからが違います。辞書で調べるとき、英語の場合は「*go*」の項目を引けば「*go out*」の意味も載っていますが、ドイツ語は「gehen」を引いても「gehen aus」という熟語は出てきません。順番を引っくり返して、「ausgehen」という動詞を引かなければいけないのです！

　これが、「分離」動詞とよばれる理由です。不定形では「**ausgehen**」と1語に書きますが、実際に文中で使うときに、「Ich gehe aus.」と離れてしまうのです。

● 「aus」の部分を、分離の**前綴り**とよびます。アクセントをつけ、強く読みます。

● 分離動詞の意味が、いつも足し算になるわけではありません。たとえば、

geben（与える）　+　auf（上に）　≠　aufgeben（あきらめる）
ゲーベン　　　　　　　アウ(フ)　　　　　アウ(フ)ゲーベン

*give*　　　　　　　　*up*　　　　　　　*give up*

のような例もあります。

#### ここが同じ！
・「動詞＋α」の形で、1つのまとまった意味を表す

#### ここが違う！
・ドイツ語では「α」を前綴りとし、不定形が1語になる

---

### 例 2　　　　　　　　　　　　　　　　　　　　　　[ワク構造を作る]

ドイツ語：**Ich gehe sehr oft mit**
　　　　　イッ(ヒ) ゲーエ ゼーア オ(フト) ミッ(ト)
　　　　　**meiner Schwester aus.**
　　　　　マイナー （シュ）ヴェ(ス)ター アウ(ス)
　　　　　私はとても頻繁に妹と出かける。

英　語：*I go out with my sister very often.*

#### 解説

　分離動詞について、もう少し詳しく見ていきましょう。例文の動詞は、例1と同じ「ausgehen」ですが、「gehe ... aus」というように、**前綴り**の部分が動詞から遠く離れて、**文末**に置かれています。非常にドイツ語らしい構造なのです！

　図式化すると、次のようになります。

［1番目の要素］　［2番目の要素］　［3番目以降の要素］　　**［文末］**
　　主語　　→　　動詞　　→　　それ以外　　→　　**前綴り**

　このように、ドイツ語では**動詞と結びつきの強い語**が**文末**に置かれる傾向があります。これを「**ワク構造**」といいます。分離動詞の場合には、活用変化する**動詞本体**の部分と、**前綴り**とが「ワク構造」を作るのです。

● **ワク構造の間**には、目的語や副詞など、いろいろな要素が入ります。主語以外が文頭にある場合は、**主語**ももちろん、この間に入ってしまいます。上の図式と比べてみてください。

Sehr oft gehe ich mit meiner Schwester aus.
Mit meiner Schwester gehe ich sehr oft aus.

［1番目の要素］　［2番目の要素］　［3番目以降の要素］　　**［文末］**
　　副詞　　→　　動詞　　→　　主語　→　それ以外　→　**前綴り**

**ここが違う！**

・ドイツ語の分離動詞は「ワク構造」を作り、前綴りが文末に置かれる

## 例 3　　　　　　　　　　　　　　　　　　　　［英語でも分離する］

ドイツ語：**Ich hole meine Kinder ab.**
　　　　　イッ(ヒ)　ホーレ　マイネ　　キンダー　　アッ(プ)
　　　　私は子どもたちを迎えに行く。

英　　語：*I pick my children up.*

**解説**
　ところで、英語でも「動詞＋α」が離れ、*間に目的語*が入ることがあります。例文のように、「*他動詞＋副詞*」となる場合です。ドイツ語のワク構造とまったく同じ語順になっていますね。

でも、似ているのはここまでで、目的語以外のものは、英語では挟めません。ドイツ語のほうが徹底している、といえそうですね。

Ich hole meine Kinder jeden Tag ab.
　　　　　　　　　イェーデン ター(ク)
私は毎日子どもたちを迎えに行く。

*I pick my children up every day.*

● 英語での目的語の位置には、次の3通りがあります。
　①「動詞」と「α」の間 ···*I pick **my children** up.*
　②「動詞＋α」のあと ···*I pick up **my children**.*
　③ *代名詞は必ず間に入る* ···*I pick **them** up.*

ここが同じ！
・「他動詞＋副詞」の場合、英語でも目的語が間に入ることがある

ここが違う！
・英語では、目的語以外は間に入らない
・英語では、（代名詞でなければ）間に挟まなくてもよい

## 覚えよう !! ― 分離動詞が分離しないとき［応用］

　分離動詞がやっかいなのは、「分離」動詞という名前なのに、分離しないときがあるからです。でも、戸惑うのは最初のうちだけです。まずは慣れてしまいましょう！

　（まだ出てきていない文法事項がたくさんありますが、列挙しておきます。それぞれの項目が出てきたら、戻ってきて確認してください。）

### (1) 分離するとき

① 現在形　　Ich gehe sehr oft aus. 私はとても頻繁に出かける。

② 過去形　　Ich ging sehr oft aus. 私はとても頻繁に出かけた。
　　　　　　　　　ギン(ク)

③ 命令文　　Geh aus! 出かけなさい。
　　　　　　ゲー　アウ(ス)

### (2) 分離しないとき

① 不定形　　ausgehen
　　　　　　アウ(ス)ゲーエン

② 副文　　Wenn ich ausgehe, ～ .　私が出かけるときは、～。
　　　　　ヴェン イッ(ヒ)　アウ(ス)ゲーエ

③ 過去分詞　　ausgegangen
　　　　　　　アウ(ス)ゲガンゲン

④ zu 不定詞　　auszugehen
　　　　　　　　アウ(ス)ツーゲーエン

**コラム**

〔英語が見えてくる！〕英語の群動詞（句動詞）

　「動詞＋α」の形でまとまった意味を表すものを、英語では**群動詞**（または**句動詞**）というようです。そしてやはり、入試などで最頻出の、攻略すべき「難しい」部類に入るようです。
　群動詞には大きく分けて、次の 3 種類があります。
　①「動詞＋副詞」(*go out, give up, pick up* など)
　②「動詞＋前置詞」(*call on, laugh at* など)
　③「動詞＋副詞＋前置詞」(*put up with, look forward to* など)
　①と②は 2 語、③は 3 語の組み合わせですね。意味を覚えなくてはいけないのはもちろんですが、入試などで狙われるのは、次の 2 点が難しいからなのだと思われます。

**1）目的語の位置**
　①②③のうち、①が自動詞のとき以外は、必ず**目的語**をとります。②③の目的語は群動詞のすぐあとに続ければいいのですが、①**で他動詞**の場合は、本文で見たように、**目的語が間に入る**こともあります。（目的語が代名詞の場合は、必ず間に入ります。）
　おそらくこの、「間に入る」ということに抵抗がある人が多いのだと思いますが、ドイツ語を学んでしまえば、もう大丈夫！　分離動詞は何でも挟んでしまうのですから、目的語くらいは受け入れてあげましょうね。

**2）受動態**
　目的語をとる群動詞は、受動態にもできます。このとき、**動詞だけを過去分詞**にするため、②③の場合に**前置詞が残って**しまい、中途半端な印象を受けてしまうようです。下の例で言えば、「*at*」はどの名詞にかかるの？ということですね。
　He was **laughed at** by everyone.　彼はみんなに笑われた。

　この居心地の悪さも、ドイツ語の受動態を習えば解消することと思います。

あとで出てきますが、分離動詞の過去分詞は分離せず、1語で書いてしまうからです。「群動詞全体を過去分詞にしている」という感覚がつかめれば、違和感も消えることでしょう。ドイツ語で得た知識と感覚を、ぜひ英語に還元してみてください！

# 6 話法の助動詞 ―「よく似た兄弟同士」

### 例 1 [基本は英語と同じ]

ドイツ語：**Ich kann schwimmen.**
イッ(ヒ) カン　　(シュ)ヴィンメン
私は泳げます。

英　　語：*I can swim.*

**解説**

　さて、いよいよ助動詞の登場です。意味も形も英語とよく似ていますので、英語との比較がいちばん楽しい項目かもしれませんね。

　基本的な使いかたは、英語と同じです。**不定形（＝原形）と組み合わせる**のです。例文でも、助動詞のあとに「schwimmen / swim」という不定形（＝原形）が続いていますね。

　ただし、ドイツ語には人称変化があるので、形に注意しなくてはいけません。例文で使われている助動詞「**kann**」は、実は「**können**」というのがもとの形です。ほかにも、「müssen」が「muss」になり、「dürfen」が「darf」になるなど、実際に文中で使うと**語幹が変化**してしまうものが多いので、しっかり覚える必要があります。（しかも、これに人称ごとの語尾がつきます！）

● 助動詞「können」の人称変化は、次のようになります。
　　können（〜できる）
　　コェンネン

　　ich kann　　　wir können
　　　　カン　　　　　　コェンネン

| du kannst | ihr könnt |
| カン(スト) | コェン(ト) |
| er kann | sie können |
| カン | コェンネン |

一般動詞と大きく違うのは、**3人称単数に語尾がつかない**ところです。そのため、英語の形と非常に近くなるのです。

● 「話法の」とあるのは、意味を添えるための助動詞、という意味で、英語の助動詞と変わりがありません。完了形などを作るときの、機能的な助動詞と区別しているのです。

### ここが同じ！
・動詞の不定形と組み合わせて使う

### ここが違う！
・ドイツ語は人称変化をする（主語によっては語幹が変わり、語尾がつく）

---

## 例 2　　　　　　　　　　　　　　　　　　[ワク構造を作る]

ドイツ語：**Ich kann auf dem Rücken schwimmen.**
　　　　　イッ(ヒ)　カン　アウ(フ)　デ(ム)　リュッケン　(シュ)ヴィンメン
　　　　　私は背泳ぎができます。

英　語：*I can swim on my back.*

### 解説

前項で見たとおり、助動詞は**動詞の不定形**（＝原形）といっしょに使います。ここまでは、英語と同じでしたね。しかし、一筋縄ではいかないのがドイツ語です。**不定形の位置**が英語と違うのです！

例文で、不定形はどこにあるでしょうか。英語では原形は***助動詞のす***

ぐ**あと**にあります。これに対して、ドイツ語では助動詞から遠く離れ、**文末**に来ていますね。間には、「auf dem Rücken」という副詞句が入っています。つまり、**ワク構造**を作っているのです。助動詞と結びつきの強い語（＝不定形）が、文末に置かれてしまうのですね。

　　［1番目の要素］［2番目の要素］［3番目以降の要素］［**文末**］
　　　　主語　　　→　　助動詞　　→　　それ以外　　→　**動詞の不定形**

● もちろん、副詞などが文頭にあれば、**主語**はワク構造の間に入ります。
　「定動詞第2位」と「ワク構造」は、どんなときでも崩れないのです。
　　Auf dem Rücken kann ich schwimmen.

　　［1番目の要素］［2番目の要素］［3番目以降の要素］［**文末**］
　　　　副詞　　　→　　助動詞　　→　主語→（それ以外）→**動詞の不定形**

　ここが違う！
・ドイツ語では助動詞も「ワク構造」を作り、動詞の不定形が文末に置かれる

## 例 3　　　　　　　　　　　　　　　　　　　　　　［不定形の省略］

ドイツ語：**Ich kann es.**
　　　　イッ(ヒ) カン　エ(ス)
　　　私はそれができます。

英　　語：× *I can it.*

解説

　最後に、助動詞の特殊な使いかたを見ていきましょう。ドイツ語では、助動詞だけで文が作れるのです！　つまり、**文末の不定形を省略**してし

まう、というわけです。

例文では、

Ich kann es tun. 私はそれができます。
トゥーン

*I can do it.*

のように、「tun」（する）という動詞が省略されている、と考えることができます。そしてこの場合、「tun」を**言わなくても、文の意味は明確**に通じます。このようなときにのみ、不定形が省略できるのです。

ほかにも例を見てみましょう。文末にどんな不定形が省略されているのでしょうか？

1) Ich muss nach Hause ［　　］. 家に帰らなくては。
   イッ(ヒ) ム(ス) ナー(ハ) ハウゼ

   *I must ［　］ home.*

2) Er kann gut Deutsch ［　　］. 彼はドイツ語が上手です。
   エア カン グー(ト) ドイ(チュ)

   *He can ［　］ German well.*

3) Darf ich herein ［　　］? 入ってもいいですか？
   ダ(ルフ) イッ(ヒ) ヘラインン

   *May I ［　］ in?*

　　　　　　　　　　　（答え）1) gehen / *go*（行く）
　　　　　　　　　　　　　　　　ゲーエン

　　　　　　　　　　　　　　2) sprechen / *speak*（話す）
　　　　　　　　　　　　　　　　(シュプ)れッヒェン

　　　　　　　　　　　　　　3) kommen / *come*（来る）
　　　　　　　　　　　　　　　　コンメン

🟦 ここが違う！

・ドイツ語では文末の不定形を省略できる

## 覚えよう!! ― 話法の助動詞 [基本]

話法の助動詞は、全部で **6つ**あります。それぞれ、意味と形をしっかり覚えましょう。(対応する英語は、*動詞*のこともあります。)

### 1) müssen ～しなければならない、～に違いない [*must*]
ミュッセン

ich muss, du musst, er muss; wir müssen, ihr müsst, sie müssen
ム(ス)　　ム(スト)　　ム(ス)　　　ミュッセン　　　ミュ(スト)　　ミュッセン

⇒ (否定形) ～しなくてもよい [*not have to*]

### 2) können ～できる、～かもしれない [*can*]
コェンネン

ich kann, du kannst, er kann; wir können, ihr könnt, sie können
カン　　カン(スト)　　カン　　　コェンネン　　コェン(ト)　　コェンネン

### 3) dürfen ～してもよい、[接続法で] おそらく～だろう [*may*]
デュ(る)フェン

ich darf, du darfst, er darf; wir dürfen, ihr dürft, sie dürfen
ダ(るフ)　ダ(るフスト)　ダ(るフ)　　デュ(る)フェン　デュ(る)フト　デュ(る)フェン

⇒ (否定形) ～してはいけない [*must not*]

### 4) mögen ～が好きだ [*like*]、～かもしれない [*may*]
モェーゲン

ich mag, du magst, er mag; wir mögen, ihr mögt, sie mögen
マー(ク)　マー(クスト)　マー(ク)　　モェーゲン　　モェー(クト)　モェーゲン

### 5) wollen ～がしたい [*want*]、～と言い張る
ヴォレン

ich will, du willst, er will; wir wollen, ihr wollt, sie wollen
ヴィ(ル)　ヴィ(ルスト)　ヴィ(ル)　　ヴォレン　　ヴォ(ルト)　　ヴォレン

## 6) sollen　〜するべきだ [*should*]、〜だそうだ
ゾレン

ich soll, du soll**st**, er soll; wir soll**en**, ihr soll**t**, sie soll**en**
　ゾ(ル)　　ゾ(ルスト)　　ゾ(ル)　　　ゾレン　　　　ゾ(ルト)　　　ゾレン

● 人称変化について
① 「sollen」以外は、**単数人称で語幹が変わり**ます。
② **3人称単数は語尾がつかない**ため、1人称単数と同じ活用形になります。

● 意味について
① 助動詞には、**客観的な意味**と**主観的な意味**があります。主観的な意味は、主に**推量**に使われます。それぞれ最初に挙げてある意味（＝客観的）をしっかり覚えてから、斜線の意味（＝主観的）を覚えるようにしてください。
② 「wollen」は単数人称で「will」となるため、英語の「*will*」と混同しがちです。未来形ではなく、「〜したい」という**強い意志**を表します。
③ 「**müssen**」の否定は「〜しなくてもよい」、逆に「**dürfen**」の否定が「〜してはいけない」となります。英語と発想が違いますので、注意してください。

> コラム

## 〔英語が見えてくる！〕英語の助動詞は不完全？

　ドイツ語と英語の助動詞は、互いにとてもよく似ているのですが、1つだけ大きな違いがあります。ドイツ語の助動詞のほうが、**より動詞に近い**、ということです。そのため、英語の助動詞にはできない使いかたができます。

### 1) **過去形**がそろっている（→ p.268 を参照）
　英語の助動詞には、**過去形がないもの**（*must*）や、**過去形があっても過去を表さないもの**（*may* / *might* など）もありますが、ドイツ語ではすべての助動詞に過去形があり、過去時制を表します。

　　Ich <u>durfte</u> ins Kino <u>gehen</u>.（dürfen）
　　　　　　　イン(ス) キーノー
　私は映画へ行くことが許された。

　　→ *I <u>was allowed to go</u> to the movies.*
　　　（*I may ...* は過去形にできない）

　　Sie <u>musste</u> zum Arzt <u>gehen</u>.（müssen）
　　　　　ツ(ム) ア(るット)
　彼女は医者へ行く必要があった。

　　→ *She <u>had to go</u> to the doctor.*
　　　（*She must ...* は過去形にできない）

### 2) **過去分詞**があり、**完了形**を作れる
　①「**ge＿＿＿t**」となる場合
　　例 3 のように、**文末の不定形が省略された文**に使います。
　　　Ich <u>habe</u> es <u>gekonnt</u>. 私はそれができた。

　② 不定形と同形になる場合
　　動詞の不定形を伴った文に使います。
　　　Ich <u>habe</u> auf dem Rücken <u>schwimmen</u> <u>können</u>.
　　　私は背泳ぎができた。

→ 文末の「**können**」は不定形に見えますが、実は**過去分詞**で、「habe ... können」の組み合わせで**現在完了形**を作っています。

## 3)「**zu 不定詞**」を作れる

英語では不可能ですが、ドイツ語では一般の動詞と同じような使いかたができます。

Ich freue mich, Sie sehen zu können.
(フ)**ろ**イエ ミッ(ヒ)

あなたにお会いできてうれしいです。

## 4) 複数の**助動詞を組み合わせて使える**

これも英語では不可能ですが、ドイツ語では自由に組み合わせられます。

Wir wollen es tun können. 私たちは、それをできるようになりたい。

※まだ出てきていない文法事項は、それぞれの項目を参照してください。

# 7 否定文の作りかた①
— 「not と nicht」

## 例 1 　　　　　　　　　　　　　　　　[nicht は文末に置く]

ドイツ語：**Ich schwimme heute nicht.**
　　　　　イッ(ヒ) (シュ)**ヴィンメ**　　ホイテ　　　ニ(ヒト)
　　　　　私は今日泳ぎません。

英　　語：*I do **not** swim today.*

### 解説

　ドイツ語の文を否定するには、**否定の副詞「nicht」**を使います。英語の「*not*」にあたるものですが、使いかたはだいぶ違うようです。例文で確認してみましょう。
　まず英語では、***動詞の直前に*「*not*」**が置かれています。さらに、「*do*」という助動詞も添えられていますね。図式化すると、次のようになります。

　*I* swim *today.* ⇒ *I* [否定語] swim *today.* ⇒ *I* **do not** swim *today.*

　これに対し、ドイツ語では**「nicht」は文末**にあります。文を言い終えてから、最後に否定語が来るわけです。これも図式化してみましょう。
　Ich schwimme heute. ⇒ Ich schwimme heute [否定語]
　⇒ Ich schwimme heute **nicht**.

　**文全体を否定**するとき、**「nicht」は文末**に置かれます。そして、「*do*」のような助動詞の助けはいりません。これだけ考えると、ドイツ語のほうが楽ですね。

● 英語は否定語を文の初めに言うので、否定文だということがすぐにわかりますが、ドイツ語は文の最後まで聞かないと、否定文かどうかが判断できません。日本語と同じですね！

● 主語以外のものが文頭にあっても、「nicht」の位置は変わりません。Heute schwimme ich **nicht**. のようになります。

### ここが同じ！
・否定の副詞（nicht / *not*）を使う

### ここが違う！
・英語では「*not*」は動詞の直前に置き、助動詞「*do*」も添える
・ドイツ語では「nicht」は**文末**に置き、助動詞は不要

---

## 例 2 ［ワク構造の場合］

ドイツ語：**Ich kann heute nicht schwimmen.**
　　　　　イッ(ヒ) カン　　ホイテ　　ニ(ヒト)　　(シュ)ヴィンメン
　　　　　私は今日泳げません。

英　語：*I can not swim today.*

### 解説

次に、**ワク構造**を持った文を否定してみましょう。ワク構造というのは、文末がすでに重要な要素で埋まってしまっているので、「nicht」は文末に置けません。必然的に、文末にいちばん近い位置（＝**文末の手前**）に置かれることになります。つまり、**話法の助動詞**を使った文では、文末にある**不定形の直前**、というわけですね。

英語では、*助動詞のあと*に「*not*」が置かれています。するとやはり、*原形の直前*になりますね。

ところで、ワク構造を作るのは話法の助動詞だけではありません。**分離動詞**もありましたね。分離動詞を使った文を否定するには、文末にある**前綴りの直前**に「nicht」を置きます。タイミング的には、話法の助動詞のときと変わらないことになります。

Ich hole meine Kinder **nicht** ab.
イッ(ヒ) ホーレ マイネ キンダー ニ(ヒト) アッ(プ)
私は子どもたちを迎えに行かない。

● 主語以外のものを文頭に置いてみましょう。ワク構造が保たれる限り、「nicht」は文末の直前に来ます。
Heute kann ich **nicht** schwimmen.
Meine Kinder hole ich **nicht** ab.

● ワク構造を作る文でも、文末の語を文頭に持ってくると、ワク構造が崩れます。この場合、「nicht」は文末に来ます。
Schwimmen kann ich heute.
→ Schwimmen kann ich heute **nicht**.

**ここが違う！**
・ワク構造を持つ文では、「nicht」は**文末の直前に置く**

## 例 3 　　　　　　　　　　　　　　　　　　　　[部分否定の場合]

ドイツ語：**Ich schwimme nicht heute.**
　　　　イッ(ヒ) (シュ)ヴィンメ　　ニ(ヒト)　　ホイテ
　　　私は今日は泳ぎません。

英　語：*I do not swim today.*

> 解説

　これまで、**文全体を否定**する場合を見てきました。「nicht」は文末か、文末の直前に置かれるのでしたね。英語との違いに戸惑うかもしれませんが、発想の違い（＝重要な語を最後に置く！）を理解してしまえば、早いかもしれません。

　さて、次は**語単位で否定**する場合を見ていきましょう。例文では、「nicht」は文末の直前ではなく、「heute」（今日）という**副詞の直前**に入っていますね。これは、「今日」という部分に焦点を当てて、そこだけを否定しているからです。いわゆる**部分否定**です。「今日は泳がないのだけれど、別の日には泳ぐかもしれない」という含みが入っているのです。このような場合、「nicht」は**否定したい語の直前**に置かれます。

● 例1と比較してみましょう。
　Ich schwimme heute **nicht**.　　私は今日泳ぎません。
　というのは、「私は今日泳ぐ」という事実全体を否定しています（＝**全否定**）。
　例1も例3も、「今日泳がない」という事実は変わりませんが、例1は「今日泳ぐことはない」という事実を淡々と述べているのに対し、例3は「今日は（！）泳がないけれど、別の日には…」というニュアンスが込められているのです。

● 目的語を否定することもできます。
　Ich hole **nicht** meine Kinder ab.
　私は子どもたちを迎えに行くのではない。
　「迎えに行く相手は子どもたちではなく、別のだれかだ」というニュアンスが含まれています。**目的語の直前**に「nicht」が置かれています。

> ここが違う！

・否定したい語の直前に「nicht」を置くと、**部分否定**になる
・英語では「*not*」の位置は変わらないため、文脈で判断する

第1部　動詞と文のしくみ

## 覚えよう!! ― ワク構造に準じた文〔応用〕

　ワク構造を作るのは、助動詞と分離動詞だけではありません。ドイツ語では、**動詞と結びつきの強い語**はとにかく**文末**に置きたがるのです。すると、ワク構造に準じた文ができあがります。いくつか例を挙げてみましょう。

### 1）**行き先**と強く結びついた動詞

　　Ich gehe zur Schule.　私は学校へ行く
　　　ゲーエ　ツア　シューレ

　→ Ich gehe **nicht** zur Schule.　私は学校へ行かない。
　　　ゲーエ　ニ(ヒト)　ツア　シューレ

### 2）**sein**（= *be*）などを使った *S*＋*V*＋*C* の構文の**補語**

　　Ich bin faul.　私は怠け者だ。
　　　　　ファウ(ル)

　→ Ich bin **nicht** faul.　私は怠け者ではない。
　　　　　　ニ(ヒト)　ファウ(ル)

　　Das ist unser Haus.　これが私たちの家です。
　　　　　　ウンザー　ハウ(ス)

　→ Das ist **nicht** unser Haus.　これは私たちの家ではありません。

### 3）熟語表現

　　Ich gehe zu Fuß.　私は歩いていきます。
　　　　　　ツー　フー(ス)

　→ Ich gehe **nicht** zu Fuß.　私は歩いていきません。

### 4）様態を表す**副詞**

　　Ich schwimme gut.　私は泳ぎがうまいです。
　　　(シュ)ヴィンメ　グー(ト)

　→ Ich schwimme **nicht** gut.　私は泳ぎがうまくありません。

いずれの場合も、否定文にするには「nicht」を**文末の直前**に置きます。動詞と強く結びつく語を重視し、こちらを文末に置くためです。

第1部　動詞と文のしくみ

## 8 副文 ―「英語は従属節になる」

### 例 1　　　　　　　　　　　　　　　　　　　　　　　　　　　　　　[副文とは]

ドイツ語：**Ich denke, dass es notwendig ist.**
　　　　　イッ(ヒ) デンケ　　　ダ(ス)　エ(ス) ノー(ト)ヴェンディ(ヒ) イ(スト)
　　　　それは必要だと思います。

英　　語：*I think that it is necessary.*

**解説**

　英語の*従属節*にあたる文を、ドイツ語では**副文**といいます。正式ではない文、ということですね。主語と動詞はそろっているのですが、独立しているわけではなく、**ほかの文の一要素**として組み込まれてしまうからです。

　具体的に見ていきましょう。例文では、「**dass**」以下が副文になっています。英語では「*that*」以下が従属節ですね。いずれも、主語（es /  it）があり、動詞（ist / is）があって、ほかの文（Ich denke / I think）の目的語になっています。ここまでの構造は、どちらもまったく同じですね。

　違う点もあります。まず、ドイツ語では「dass」の**前**に**コンマ**があります。それから、副文の動詞「ist」が**文末**に来ています。この２つは非常に重要です。ドイツ語では、**前後にコンマがあり**、**動詞が最後にある文**のことを副文とよんでいるからです。

　また、副文は**始まり**にも特徴があります。必ず「dass」のような、これから副文が始まるぞ、という語が来るのです。これはどんなときも省略できません。（英語の「*that*」は省略することもできますね。）

● 副文でない文は、**主文**といいます。動詞が2番目に来る文のことです。

● 「dass」のような語を**従属接続詞**といいます。従属接続詞のあとは、**必ず副文**になります。

> ここが同じ！
> ・主語と動詞があり、ほかの文の一要素になる

> ここが違う！
> ・ドイツ語の副文は**前後にコンマ**があり、**動詞が最後**に来る
> ・副文の始まりの語は、ドイツ語では省略できない

## 例2  [副文の種類]

ドイツ語：**Ich höre Musik, wenn ich zu Hause bin.**
　　　　　イッ(ヒ) ホェーれ ムズィー(ク)　ヴェン　イッ(ヒ) ツー ハウゼ　　ビン
私は家にいるとき音楽を聞く。

英　語：*I listen to music when I am home.*

### 解説

英語の従属節には、***名詞節・副詞節・形容詞節***の区別がありました。それぞれ、主語と動詞を備えながら、節全体が名詞・副詞・形容詞の働きをするのでしたね。たとえば、例1では従属節が目的語になっていたので***名詞節***、例2では「時」または「条件」を表しているので***副詞節***、というわけです。

ドイツ語の副文では、特にそのような区別はしていませんが、**名詞・副詞・形容詞**のいずれかの働きをすることに変わりはありません。例文で確認してみましょう。

例2の副文は、すぐに見つかるでしょうか？　見つけかたのコツは、

第1部　動詞と文のしくみ

まず**コンマ**。それから、**動詞が最後**にあるかどうか、でしたね。「**wenn**」から始まる文が、ここでは副文です。「wenn」は英語の「*when*」とよく似ており、「時」または「条件」を表す副文を作ります。つまり、**副詞の働き**をした副文になるのです。そしてこの「wenn」は、やはり**従属接続詞**といいます。

● 例1では副文は**目的語**となっているので、**名詞の働き**をしているといえます。

● ドイツ語の副文には、次の3種類があります。
 1) **従属接続詞**で始まる文 → 英語の***名詞節・副詞節***に相当
 2) **間接疑問文** → 英語の***名詞節***に相当
  = **疑問詞**あるいは**ob**（ = *whether / if*）「〜かどうか」で始まる文
  例：Ich weiß nicht, was du brauchst.
  　　ヴァイ(ス)　　　ヴァ(ス)　(ブ)らウ(ホスト)
  君は何が必要なのかわからない。

  *I do not know what you need.*
 3) **関係代名詞**で始まる文 → 英語の***形容詞節***に相当
  [→ IV-5「関係代名詞」を参照してください]

 ここが同じ！
・従属節も副文も、名詞・副詞・形容詞のいずれかの働きをする

 ここが違う！
・ドイツ語では3つの働きを区別した名称はない

## 例 3 　　　　　　　　　　　　　　　　　[副文で始まる場合]

ドイツ語：<u>Wenn</u> ich zu Hause bin, höre ich Musik.
　　　　　ヴェン　イッ(ヒ) ツー　ハウゼ　　ビン　ホェーれ イッ(ヒ) ムズィー(ク)
　　　　　私は家にいるとき音楽を聞く。

英　　語：<u>When</u> I am home, I listen to music.

### 解説

　副文の構造と種類がわかったところで、最後に**副文の位置**を考えていきましょう。**主文のあとに**副文が続く場合は、特に問題はありません。**間にコンマ**を入れて副文を続けるだけで、正しい文が完成します。例1と例2がこのパターンでしたね。

　それでは、**副文で始まる**場合はどうでしょうか。例3を見てください。副文の**あとにコンマ**が入るまではいいのですが、次にすぐ**動詞**が続いています。そして、動詞のあとに**主語**がありますね。図式化すると、こうなります。

　　　副文　　,　→　　動詞　　　→　　主語　→　それ以外

　この図式、どこかで見覚えはありませんか？ 「副文」を「副詞」に置き換えると、

　　［1番目の要素］　　［2番目の要素］　　［3番目以降の要素］
　　　　副詞　　　→　　　動詞　　　→　　主語　→　それ以外

となりますね。つまり、副文は**副詞と同等**に扱う、というわけです。副文は副詞の働きをするのですから、考えてみれば当然ですね。

● 名詞の働きをする副文でも、あとに続く主文は**動詞が先**になります。
　　［1番目の要素］　　［2番目の要素］　　［3番目以降の要素］
　　　　目的語　　→　　　動詞　　　→　　主語　→　それ以外
と同じになるのですね。

● 英語では従属節が先に来た場合、*間にコンマ*が入るのが通例のようです。

> ここが同じ！

・副文または従属節で文を始めることができる

> ここが違う！

・ドイツ語では副文のあと、**動詞**→**主語**の順になる

## 覚えよう!! ― ワク構造が副文になったとき［応用］

　副文は、一種のワク構造を作ります。副文の始まりと終わりとでがっちり全体を包み込み、ご丁寧に前後にコンマまでつけて、縄張りをはっきりさせています。ここに一般の**ワク構造**が入り込んできたとき、語順はどうなるのでしょうか？

### 1）分離動詞

　分離動詞は**前綴りが文末**に来て、ワク構造を作りましたね。しかし、副文では動詞を最後に置かなくてはいけません。**副文の語順が優先**されるので、前綴りは**動詞の直前**に置くことになります。つまり、分離動詞が**分離しない形**で使われることになります。

　Er geht sehr oft aus.　彼はとても頻繁に出かける。
　　ゼーア　オ(フト)

→　Ich höre, dass er sehr oft **ausgeht**.
　　ホェーれ ダ(ス)　　　　　　　アウ(ス)ゲー(ト)
　　彼はとても頻繁に出かけると聞いている。

（×　Ich höre, dass er sehr oft geht aus. … 動詞が文末にない×）
（×　Ich höre, dass er sehr oft aus geht. … 分離動詞が分離したまま×）

### 2）話法の助動詞

　話法の助動詞では、**動詞の不定形が文末**に来るのでしたね。副文になると、この不定形はやはり、**文末の直前**に置かれます。そして、間には何も入れてはいけません。

　Sie kann gut schwimmen.　彼女は上手に泳げます。
　　　　　　　　グー(ト)（シュ)**ヴィン**メン

→　Ich weiß, dass sie gut **schwimmen kann.**
　　ヴァイ(ス) ダ(ス)
　　彼女が上手に泳げることを知っています。

（×　Ich weiß, dass sie gut kann schwimmen. … 助動詞が文末

73

にない×）

（× Ich weiß, dass sie schwimmen gut kann. … 間に副詞が入っている×）

## 3）nicht を使った否定文

否定文もやはり「nicht」が文末に来ましたが、副文の中では「**nicht**」**は文末の直前**に入ります。（文末に動詞の要素が複数あるときは、その前になります。）

Ich schwimme heute **nicht**.　私は今日泳ぎません。
　（シュ）ヴィンメ　ホイテ

→　Du weißt, dass ich heute **nicht** schwimme.
　　ヴァイ(スト) ダ(ス)
　　私が今日泳がないことを君は知っている。

Ich kann heute **nicht** schwimmen.
　　　　ホイテ　　　　（シュ）ヴィンメン
私は今日泳げません。

→　Du weißt, dass ich heute **nicht** schwimmen kann.
　　ヴァイ(スト) ダ(ス)
　　私が今日泳げないことを君は知っている。

**コラム**

## 〔英語が見えてくる！〕従属節と副文

　英語の従属節は、見た目には主節と変わりがありません。「主語→動詞」という語順のまま、頭に「*that*」などの語が添えられているだけですね。しかも「*that*」の場合、省略可能なときもあります。そのため、主節と従属節の差がはっきりせず、「従属している」という実感もわきにくく、「文をそのままつなげるための、ちょっと便利なしくみ」ぐらいにしか思っていない人も多いのではないでしょうか。

　ところが、ドイツ語の副文を学ぶと、この見方が変わってくるかもしれません。まず、ドイツ語の副文は**視覚的に認識**しやすくなっています。前後がコンマで区切られているからですね。また、動詞が文末にあるという特殊な構造により、いやでも、「主文と違う！」ということが認識できます。

　そしてこの、あるべき**2番目の位置に動詞がない**、ということがとても重要です。主文のような重々しさを感じさせなくなるのです。副文に重さを感じないばかりか、**副詞のように軽く**感じられてきたら、しめたものです。主文の内容を**主要な情報**、副文を**副次的な情報**、というように濃淡をつけてキャッチできるようになるからです。

　英語でもぜひ、このクセをつけてみてください！　ドイツ語のフィルターをかけて読んでみると、不思議と***主節は重く***、***従属節は軽く***感じられるようになるのではないでしょうか。従属節で始まっている文は、***コンマをつける***ことによって重い主節に切り替わり、主節で始まっている文は、***従属接続詞***を目印に軽い従属節に切り替わる、というわけです。文章を立体的にとらえる練習をしてみましょう！

# 9 接続詞 —「英語だって厳格だ！」

### 例 1 　　　　　　　　　　　　　　　　　　　　　　　［等位接続詞］

ドイツ語：**Die Sonne scheint, und ich stehe auf.**
　　　　　ディー　ゾンネ　　シャイン(ト)　ウン(ト) イッ(ヒ) (シュ)テーエ アウ(フ)
　　　　　太陽が輝き、私は起きる。

英　語：*The sun shines, and I get up.*

**解説**

　接続詞には3種類あるのですが、まず**等位接続詞**を見ていきましょう。「等位」というのですから、**同等のもの**をつなぎます。同等とは、目的語なら目的語と、補語なら補語と、動詞なら動詞と、文なら文と、ということです。例文では「**und / and**」が2つの文をつないでいます。

　等位接続詞は**並列させる**ための接続詞なので、あとに続く文の**語順に変化を与えません**。例文でも、

　Die Sonne scheint. ＋　Ich stehe auf.

　⇒　Die Sonne scheint, **und** ich stehe auf.

と、あくまで「**そのまま**」2つの文をつなげていることが明白ですね。

● あとに続く文で主語と動詞が逆になっていても、そのまま続けます。
　Die Sonne scheint. ＋ Schnell stehe ich auf.
　　　　　　　　　　　　(シュ)ネ(ル)
　　　　　　　　　　　　すばやく私は起きる。

　⇒　Die Sonne scheint, **und** schnell stehe ich auf.

● 「主語でないもので始まっているのに、主語と動詞が逆にならないのはなぜ？」と頭をひねっている人もいるかもしれませんね。原理は簡単です。等位接続詞は「1番目の位置」ではなく、「**ゼロの位置**」と解釈するからです。すると当然、1番目以降の要素はそのまま続けられるわけです。

［ゼロの位置］　［1番目の要素］　［2番目の要素］　［3番目以降の要素］
**等位接続詞**　→　　主語　　　→　　動詞　　　→　それ以外
　　〃　　　　→　　副詞など　→　　動詞　　　→　主語　→　それ以外

＞ ここが同じ！
・等位接続詞は、あとの文の語順に影響しない

## 例 2　　　　　　　　　　　　　　　　　　［副詞的接続詞］

ドイツ語：**Er fühlt Schmerzen, dann schreit er.**
エア フュー(ルト) (シュ)メ(る)ツェン　ダン　(シュ)らイ(ト) エア
彼は痛みを感じ、それから叫ぶ。

英　語：*He feels pain; then he cries.*

**解説**

2つ目のグループは、**副詞的接続詞**です。つまり、**副詞として使う接続詞**です。接続詞の意味を持った副詞、と考えても構いません。

**本来は副詞**なので、これが文頭にあると、続く**主語と動詞の語順が逆**になります。これはもう、おなじみですね。「定動詞第2位」の原則が適用されるのです。

例文では「**dann**」のあと、「動詞→主語」の順になっていますね。少々ややこしいとは思いますが、例1の等位接続詞は「ゼロの位置」、例2の副詞的接続詞は「1番目の要素」となる、というわけです。

Er führt Schmerzen. + Er schreit.
⇒　Er führt Schmerzen, **dann** schreit er.

［1番目の要素］　　［2番目の要素］　　［3番目以降の要素］
副詞的接続詞　→　　　動詞　　→　　主語　→　それ以外

● もともと副詞なので、**文中**に入れても使えます。これは英語も同じですね。
Er führt Schmerzen. Er schreit **dann**.
*He feels pain. He cries **then**.*

● 英語では***接続副詞***とよび、接続詞の意味を持った副詞、ということに変わりはないのですが、ドイツ語のように***接続詞としては使えない***ので、2つの文を***そのままつなぐことはできない***ようです。
× *He feels pain,* ***then*** *he cries.*
→　○　*He feels pain;* ***then*** *he cries.*
　　○　*He feels pain.* ***Then*** *he cries.*

### ここが同じ！
・副詞的接続詞（=***接続副詞***）は、文頭でも文中でも使える

### ここが違う！
・ドイツ語では副詞的接続詞のあと、主語と動詞が逆になる
・英語では文と文をそのままつなぐことはできない

---

## 例 3　　　　　　　　　　　　　　　　　　　　　　［従属接続詞］

ドイツ語：**Ich koche, während er die Zeitung liest.**
　　　　　イッ(ヒ) コッヘ　ヴェーレン(ト)　エア ディー ツァイトゥン(ク) リー(スト)
　　　　　彼が新聞を読む間、私は料理をする。
英　語：***I cook while he reads the newspaper.***

> **解説**

3つ目のグループは、**従属接続詞**です。こちらもすでにおなじみですね。**副文を作る**接続詞でした。そのため、**動詞が文末**に来るのでしたね。

Ich koche. + Er liest die Zeitung.
⇒　Ich koche, **während** er die Zeitung liest.

これで3種類の接続詞がそろいました。それぞれの特徴を知って、使い分けるようにしてください。自由に書き換えができるようになるといいですね！

● 等位接続詞と副詞的接続詞は、**主文と主文**をつなぎます。そのため、どちらの文も同じように**重み**があります。

Ich koche, **und** er liest die Zeitung.
私は料理をし、彼は新聞を読む。
Ich koche, **trotzdem** liest er die Zeitung.
（ト）ろッ(ツ)デ(ム)
私は料理をするが、それにもかかわらず彼は新聞を読む。

⇒　いずれの場合も、両方の文を同じ重みで伝えています。

● 従属接続詞は**副文**になるため、主文のような重みがありません。

Ich koche, **während** er die Zeitung liest.
彼が新聞を読む間、私は料理をする。

⇒　「私が料理をする」点が重要で、副文は**副次的な情報**を示しています。この例では、「彼が新聞を読む」ことが**背景に後退**しています。

> **ここが同じ！**

・従属接続詞は、副文または従属節を作る

> **ここが違う！**

・ドイツ語では副文になるため、動詞が最後に来る

## 覚えよう!! ― さまざまな接続詞 [基本]

### 1) 等位接続詞

数が少ないので、まずこれだけをしっかり頭に入れるといいでしょう。うっかり主語と動詞を逆にしてしまうことが多いので、意外と注意が必要です。

**und**（= and）, **aber**（= but）, **oder**（= or），
ウン(ト)　　　　　アーバー　　　　　オーダー

**sondern**（= 否定のあとの but）, **denn**（= for）　など
ゾンダン　　　　　　　　　　　　　　デン

### 2) 副詞的接続詞

数が多いので、代表的なものを覚えるといいでしょう。（* をつけたものは、等位接続詞として使うこともあります。）

**dann**（= then）　それから、そのとき
ダン

**deshalb**, **daher**（= therefore）　それゆえに
デ(ス)ハ(ルプ)、ダーヘア

**jedoch***（= though, however）　しかし
イェードッ(ホ)

**doch***, **dennoch**, **trotzdem**（= nevertheless）
ドッ(ホ)　デンノッ(ホ)　(ト)ロッ(ツ)デ(ム)
それにもかかわらず

**sonst**（= otherwise）さもないと　　　　　　　など
ゾン(スト)

## 3）従属接続詞

これも数が多いです。必ず副文を作ります！

**als**（= *when*）〜したとき
ア(ルス)

**nachdem**（= *after*）〜したあとで
ナッ(ハ)デー(ム)

**wenn**（= *if / when*）〜するとき、もし〜なら
ヴェン

**weil, da**（= *because*）なぜなら
ヴァイ(ル) ダー

**obwohl**（= *although*）〜にもかかわらず
オ(ブ)ヴォー(ル)

**damit**（= *so*）〜するために　　　　　　など
ダーミッ(ト)

> **コラム**

## 〔英語が見えてくる！〕*however* の使いかた

　英語で「*however*」に悩まされた人は、少なくないことでしょう。接続詞の「*but*」と同じ意味のはずなのに、同じようには使えず、文中のさまざまな場所に出現しましたよね。たとえば、一般には次の3通りが考えられます。

　① *It is Sunday today.* **However**, *he is not happy.*

〔→ *however* が**文頭**〕

　今日は日曜日だ。それなのに、彼はうれしくない。

　② *It is Sunday today. He,* **however**, *is not happy.*

〔→ *however* が**文中**〕

　③ *It is Sunday today. He is not happy,* **however**.

〔→ *however* が**文末**〕

どれも文法的には正しく、意味的に大きな違いはありません。これに対し、「*but*」は1カ所、文の先頭にしか置けませんでしたね。

　④ *It is Sunday today,* **but** *he is not happy.*

　なぜでしょうか。理由は簡単です。**品詞が違う**からです。

　まず、「*but*」のほうはドイツ語の「*aber*」と同じ、**等位接続詞**です。同等のものを、そのままつなげる接続詞でしたね。そのため、④のように文と文をそのままつなぎ、「*but*」はその間に、接着剤のように置かれているのです。

　それでは、「*however*」は接続詞ではないのでしょうか？　はい、そのとおりです。実は**副詞**なのです。ドイツ語の「*jedoch*」と同じ、**副詞的接続詞**（＝**接続副詞**）のグループに入るのです。「*but*」と使いかたが違ってくることは、これで納得ですね。そして、副詞なのですから、文中のさまざまな位置に入ってよい、ということになります。

● 〔英語が見えてくる！〕のシリーズも、これで5回目になります。ドイツ語の世界から英語を眺めてみるというこの試み、うまく皆さんに伝わっていれば幸いです。相乗効果で、どちらも得意になってしまいましょう！

# 10 | 副詞と副詞句 ―「時と場所が逆になる」

### 例 1　　　　　　　　　　　　　　　　　　[基本の位置]

ドイツ語：**Normalerweise esse ich langsam.**
　　　　　ノ(る)マーラーヴァイゼ　　　エッセ　イッ(ヒ)　ラン(グ)ザー(ム)
ふだん私はゆっくり食べる。

英　語：*I usually eat slowly*.

**解説**

　この課では、**副詞（および副詞句）の位置**を見ていこうと思います。副詞とは、動詞や形容詞、あるいは副詞自体を修飾する語でしたね。つまり、名詞以外のものはすべて修飾できるのですが、ここでは主に、**動詞を修飾**する場合を取り上げます。

　ここで、ドイツ語の文のしくみを思い出してください。位置が決まっているのは、まず動詞です。必ず2番目に来るのでしたね。大ざっぱに言えば、副詞はこれ以外の位置に置くことができます。つまり**文頭か、動詞のあと**です。（主語と動詞が逆になっている文では、**主語のあとに**なります。）

　例文では、文頭に「**normalerweise**」という副詞があります。副詞が「1番目の要素」になっているため、主語と動詞が逆になっており、そのあと、つまり主語のあとに、「**langsam**」というもう1つの副詞があります。副詞を取り除くと、

　Ich esse.　私は食べる。
　イッ(ヒ)　エッセ

というシンプルな文になります。副詞を1つだけ加えると、

第1部　動詞と文のしくみ

83

Ich esse **langsam**.　（副詞は動詞のあと）　　私はゆっくり食べる。
　　**Langsam** esse ich.　（副詞は文頭）　　　ゆっくり私は食べる。
のどちらかの配置になります。

● 副詞を文頭に出さず、2つ並べる配置も可能です。
　　Ich esse **normalerweise langsam**.　（副詞は2つとも動詞のあと）

　英語でも副詞の位置は比較的自由ですが、***文の終わり***か、***動詞の前***に置かれることが多いようです。（もちろん、文頭にも置けます。）

**ここが同じ！**
・副詞の位置は比較的自由

**ここが違う！**
・ドイツ語では主語と動詞の間に副詞は置かない
・ワク構造をとらない文では、副詞は文頭か、動詞のあと

## 例 2　　　　　　　　　　　　　　　　　　　［ワク構造の場合］

ドイツ語：**Manchmal muss ich trotzdem schnell essen.**
　　　　マン(ヒ)マー(ル)　ム(ス)　イッ(ヒ)(ト)ろッ(ツ)デ(ム)
　　　　(シュ)ネ(ル)　　エッセン
しかし時には急いで食べなくてはいけない。

英　語：*Sometimes, I must eat quickly, though.*

**解説**

　それでは次に、**ワク構造**をとる文に副詞を入れてみましょう。ワク構造で配置が決まっているのは、**2番目**と**文末**でしたね。副詞はこれ以外

の場所に入るので、**文頭**か、**2番目と文末の間**、ということになります。(主語と動詞が逆になっている文では、やはり**主語と文末の間**になります。)

例文から副詞を取り除くと、

Ich muss essen.　　私は食べなければならない。
イッ(ヒ) ム(ス) **エッセン**

という文になります。ワク構造をとるので、副詞は、

Ich muss　　　　　　　　essen.

の部分に入るわけですね。主語と動詞を引っくり返せば、

　　　　　muss ich　　　　　　　　essen.

のようになります。

● 例文には副詞が3つありますが、どのように組み合わせても、文法上は可能です。(副詞の順番については、次項で解説します。)
**Ich** muss **manchmal trotzdem schnell** essen.（間に3つ）
**Trotzdem** muss ich **manchmal schnell** essen.（前に1つ、間に2つ）
**Schnell** muss ich **manchmal trotzdem** essen.（前に1つ、間に2つ）

● **副詞が入らない場所**を確認しておきましょう。
① 主語と動詞の間（⇒ *英語は**動詞の前**に置くことができる*）
② ワク構造の文末のあと（⇒ *英語は**文の終わり**に置くことができる*）

　ここが違う！
・ワク構造をとる文では、副詞は文頭か、2番目と文末の間

| 例 3 | [副詞句の場合／副詞の順番] |

ドイツ語：**Oft esse ich am Wochenende**
オ(フト) エッセ イッ(ヒ) ア(ム) ヴォッヘンエンデ
**bei meinen Eltern.**
バイ マイネン エ(ル)タン
週末はよく実家で食べる。

英　　語：*I often eat at my parents' house on weekends.*

#### 解説

　最後に、**副詞句**の例を見ていきましょう。副詞句とは、複数の語から構成されている副詞のことです。例文では、「**am Wochenende** / *on weekends*」と「**bei meinen Eltern** / *at my parents' house*」がそうですね。それぞれ2〜4語で1つの句になっています。

　副詞句になっても、文中での位置は副詞と変わりません。ワク構造でない場合は**文頭**か、**動詞（または主語）のあと**になります。もう大丈夫ですね。

　ここで、もう1つ英語と違う点を紹介しましょう。**副詞の順番**です。例文でもわかるように、ドイツ語では「**時→場所**」の順になるのです。*英語では「時」が最後*に来るので、反対ですね。覚えられそうにない人は、次の文を頭に入れるといいでしょう。

　　Ich bin **jetzt hier**.　　私は今ここにいる。
　　　　　イェ(ツト) ヒーア
　　　　　　　　　　　　　　「jetzt（今）」→「hier（ここに）」

　　*I am **here now**.*　　　「*here*（ここに）」→「*now*（今）」

● 「時」と「場所」以外の副詞は、この2つの間に入ります。
　「**時**」→「**因果**」→「**様態**」→「**場所**」

（前項の例文では、manchmal「時」→ trotzdem「因果」→ schnell「様態」の順になっていた、というわけです。）

### ここが同じ！
・副詞句でも、入る場所は副詞と同じ

### ここが違う！
・副詞の順番は、英語では「場所→時」、ドイツ語では「時→場所」

> 第１部のまとめ

**1．動詞の現在形**
（1）規則動詞 ･･･ 語幹（*）に次の語尾をつける
　　　　ich **–e**, du **–st**, er/sie/es **–t**;　wir **–en**, ihr **–t**, sie **–en**
（2）不規則動詞 ･･･ 語幹が **2** 人称・**3** 人称の単数で変化する（下記×の部分）
　　　　ich **–e**, du **–×–st**, er/sie/es **–×–t**;　wir **–en**, ihr **–t,** sie **–en**
（3）話法の助動詞 ･･･「**sollen**」以外で単数人称の語幹が変化し、
　　　　　　　　　　1 人称・3 人称の単数で語尾がつかない
　　　　ich **–×–**, du **–×–st**, er/sie/es **–×–**;　wir **–en**, ihr **–t**, sie **–en**

*）語幹とは、不定形から「**–(e)n**」を取った形

**2．動詞の位置**
（1）主文 ･･･「定形第 **2** 位」の原則により、動詞はいつも２番目
　① 主語が先にあれば、「主語→動詞」の順
　② 副詞・目的語などで文が始まれば、「動詞→主語」の順
（2）疑問文 ･･･ 動詞で始める
　　（疑問詞で始まる疑問文は、「定形第 **2** 位」となる）
（3）命令文 ･･･ 動詞で始める
　　（敬称「Sie」に対する命令文は、主語を残す）
（4）副文 ･･･ 動詞が文の最後
　① 従属接続詞で始まる文
　② 間接疑問文
　③ 関係代名詞で始まる文 ［→第 4 部を参照のこと］

**3．ワク構造**
（1）分離動詞 ･･･ 分離の前綴りは文末
（2）話法の助動詞 ･･･ 動詞の不定形は文末
（3）そのほか、動詞と結びつきの強い語（句）は文末

## 4. 副詞（句）の位置
### (1) 否定の副詞「nicht」
① 通常は文末
② ワク構造の場合は、文末の直前
③ 副文の場合は、文末の動詞の直前
④ 部分否定の場合は、否定したい語（句）の直前

### (2) 一般の副詞（句）
① 通常は文頭か、動詞（または主語）のあと
② ワク構造の場合は、文頭か、動詞（または主語）と文末の間
③ 並べる場合は、「時」→「因果」→「様態」→「場所」の順

# Teil 2

(第2部)
名詞と格変化

# 1 名詞の性 —「英語は一本化！」

### 例 1　【3つの性がある】

ドイツ語：**der** Tanz, **die** Musik, **das** Theater
　　　　　デア　タン(ツ)、ディー　ムズィー(ク)、ダ(ス)　テアーター
　　　　　舞踊、音楽、演劇

英　語：*the* dance, *the* music, *the* theater

**解説**

ドイツ語の名詞には、2つの特徴があります。
① 必ず**大文字**で書き始める
② **男性**名詞、**女性**名詞、**中性**名詞のどれかに属する

①はともかく、②はやっかいですね。ドイツ語の名詞を覚えるときには、必ず名詞の性もセットで覚える必要があります。

コツとしては、**定冠詞**を名詞の前につけて覚えるといいでしょう。男性は「**der**［デア］」、女性は「**die**［ディー］」、中性は「**das**［ダ(ス)］」と全部違うので、見分けるのにとても便利です。英語の「*the*」にあたるものが性によって3つの形に変化する、というわけです。

● 名詞の性は、生物学的な性は別として、意味などによって規則的に分類されているわけではありません。例で見ても、舞踊が男性的、音楽が女性的、演劇が中性的、という根拠はありません。あくまで、**文法的な性**なのです。

● 名詞の性に意味はありませんが、名詞の性から受けるイメージ、と

いうのはあります。たとえば**太陽**（die Sonne）[ディー ゾンネ]は女性名詞、**月**（der Mond）[デア モン(ト)]は男性名詞なので、詩などで太陽を女性、月を男性に擬人化することがよくあります。ところが、フランス語では太陽が男性名詞、月が女性名詞なので、擬人化するときにイメージが逆になります。同じヨーロッパ言語なのに、面白いですね。

> **ここが違う！**
> ・ドイツ語には男性名詞、女性名詞、中性名詞の区別がある

> **ポイント：簡素化のしくみ**
> ドイツ語の名詞には３つの性があり、定冠詞も３種類ある
> ⇒ 英語では名詞の性をなくし、定冠詞は「the」に一本化

---

## 例 2 【男性形と女性形】

ドイツ語：**der Student – die Studentin**
　　　　デア （シュ）トゥ**デン**(ト)　ディー （シュ）トゥ**デン**ティン
　　　　男子学生、女子学生

英　語：*the* (*male*) *student* – *the* (*female*) *student*

---

**解説**

次に、生物学的な性がある場合を見ていきましょう。ドイツ語では**職業**や**国籍**を言うとき、必ずどちらかの性になります。自己紹介をするとき、男性であれば、

　Ich bin **Student**.　私は学生です。
　イッ(ヒ) ビン （シュ）トゥ**デン**(ト)

と男性形を使い、女性であれば、

　Ich bin **Studentin**.　私は学生です。
　イッ(ヒ) ビン （シュ）トゥ**デン**ティン

と言わなくてはいけません。英語では男女とも同じ言いかたになりますね。

  *I am a student.*

● 女性形は、男性形に「**-in**」をつけるとできあがります。ぜひセットで覚えてください。

 Japaner　→　Japaner**in**　日本人
 ヤパーナー　　　ヤパーネリン

 Lehrer　→　Lehrer**in**　教師　　など
 レーらー　　　　レーれりン

● ウムラウト記号をつけて変音することもあります。

 Arzt　　　→　**Ä**rzt**in**　医者
 ア(るツト)　　　エ(るツ)ティン

 Franzose　→　Franz**ö**s**in**　フランス人　　など
 (フ)らンツォーゼ　　(フ)らンツォエーズィン

● 次のような文は、文法上誤っていることになりますが、「学生という存在だ」ということを強調する場合に、まれに使われることがあります。

 △ Sie ist Student. 彼女は学生だ。(＝大学に通っていること、あるいは、まだ社会人ではないこと、などを強調しています)

> **ここが違う！**
> ・ドイツ語では職業や国籍を言うとき、必ず女性形がある

## 例 3 【複合名詞の性】

ドイツ語：**das** Musiktheater, **die** Theatermusik
ダ(ス)　ムズィー(ク)・テアーター、ディー　テアーター・ムズィー(ク)
音楽劇、劇音楽

英　語：*the* music theater, *the* theater music

### 解説

最後に、**複合名詞**について見ていきましょう。ドイツ語は造語能力が豊かで、いろいろな名詞をくっつけて書いて**1語**にしてしまうので、長い単語が多くなります。そしてこの場合、新しくできた名詞の**性**は、**最後**にくっついた名詞と同じになります。

例で確かめてみましょう。例1に出てきた「Musik」と「Theater」をつなげると、

　　die Musik ＋ **das** Theater ⇒ **das** Musiktheater

と、最後にある「Theater」の性が引き継がれ、順番を逆にすると、

　　das Theater ＋ **die** Musik ⇒ **die** Theatermusik

のようになる、というわけです。

● 名詞をつなげるとき、間に「-s-」が入ることもあります。
　　das Volk ＋ die Musik ⇒ die Volksmusik　民族音楽
　　　フォ(ルク)　　　ムズィー(ク)　　　フォ(ルクス)・ムズィー(ク)

### ここが違う！

・ドイツ語の複合名詞はつなげて1語に書く
　（性は最後の名詞と一致する）

## 覚えよう!! ― 名詞の性の見分けかた【基本】

基本的に、1つずつコツコツと覚えていくしかないのですが、目安となるものはありますので、一部をご紹介します。

**1) 男性名詞となるもの**
 ① 語尾が「**-er**」となり、職業や国籍を表している場合

 ② 動詞の概念を名詞化したもの
    der Schlaf　睡眠（← schlafen 眠る）　など
    (シュ)ラー(フ)　　　　　　　(シュ)**ラー**フェン

**2) 女性名詞となるもの**
 ① 語尾が「**-in**」となり、職業や国籍を表している場合［＝例2］

 ② 語尾が「**-e**」となるもの　［例外あり！］
    die Blume　花　など
    (ブ)**ルー**メ

 ③ 形容詞や名詞に「**-heit**」「**-keit**」「**-schaft**」などの語尾をつけた
        　　　　　　　　　 ハイ(ト)　カイ(ト)　シャ(フト)
    もの

    die Schönheit　美（← schön 美しい）
    ショェーン**ハイ**(ト)　　　　ショェーン

    die Freundschaft　友情（← Freund 友人）　など
    (フ)**ロイン**(ト)シャ(フト)　　　(フ)**ロイン**(ト)

 ④ 「**-ion**」「**-tät**」などの語尾をつけた外来語
    　イオーン　テー(ト)

    die Nation　国家
    ナツィ**オーン**

    die Universität　大学　など
    ウニヴェアズィ**テー**(ト)

### 3）中性名詞となるもの

① 動詞の名詞化

  das Essen 食事（← essen 食べる）　など
  エッセン　　　　　　　エッセン

② 名詞に縮小の語尾「**-chen**」「**-lein**」をつけたもの
        ヒェン　　ライン

  das Mädchen 少女（← Magd 少女）
  メー(ト)ヒェン　　　　マー(クト)

  das Fräulein お嬢さん（← Frau 女性）　など
  (フ)ろイライン　　　　　(フ)らウ

［この2つは「女性」を表していますが、語尾により「中性」名詞となります！］

# 2 | 名詞の複数形 —「英語は思い切って簡略化！」

## 例 1 　　　　　　　　　　　　　【単複同形のグループ】

ドイツ語：**der Lehrer → die Lehrer**
　　　　　　デア　レーらー　　ディー　レーらー
　　　　　教師

英　語：*the teacher → the teachers*

**解説**

　名詞の複数形は、ドイツ語では一筋縄にはいきません。英語のように、語尾に「-s」をつけて終わり、というわけにはいかないのです。
　例を見てください。「**der Lehrer**」は、定冠詞が「der」なので**男性名詞**ですね。ところが右側は、「**die Lehrer**」となっています。冠詞だけ変化し、名詞の部分はそのままです。実は、これが「Lehrer」の**複数形**なのです。
　この名詞は、**単複同形**のグループに属しています。そのため、単数形がそのまま複数形として使えるのです。ほかにも例を挙げてみましょう。

　　der Japaner → **die** Japaner 　日本人
　　　　ヤパーナー　　　　ヤパーナー

　　das Theater → **die** Theater 　劇場（*vs. the theater → the theaters*）
　　　　テアーター　　　　テアーター

　複数形では、定冠詞は「**die**」となります。男性・女性・中性にかかわらず、複数形になるとすべて「die」になるのです。覚えるときは「**der** Lehrer – **die** Lehrer」と、やはり冠詞をつけるといいでしょう。

● 単複同形であっても、**ウムラウト**がついて**変音**する場合があります。

der Vater → **die** V**ä**ter　父
ファーター　　　フェーター

die Tochter → **die** T**ö**chter　娘
ト(ホ)ター　　　トェ(ヒ)ター

**ここが違う！**

・名詞の複数形は、ドイツ語ではワンパターンに作れない
　→　（1）単複同形のものがあり、場合によってはウムラウトをつける

## 例 2　【「-e」「-er」「-en」がつくグループ】

ドイツ語：**die Karte** → **die Karte**n
　　　　　ディー カ(る)テ　　ディー カ(る)テン
　　　　　カード

英　語：*the card* → *the card*s

**解説**

　次に、語尾に何かがついて複数形になるグループを見ていきましょう。具体的には、「**-e**」「**-er**」「**-(e)n**」のどれかになります。例では「Karte」に「-n」がついて、「Karten」となっていますね。英語はなんでも「*-s*」をつけますが、ドイツ語は3種類も語尾があるのです。

　ほかの例もいくつか見てみましょう。

der Bus → **die** Bus**se**\*　バス（*vs. the bus → the bus*s）
　ブ(ス)　　　ブッセ

\*) 発音の都合上、「s」を重ねて表記します。

das Feld → **die** Feld**er**　野原（*vs. the field → the field*s）
　フェ(ル)ト　　フェ(ル)ダー

die Nation → **die** Nation**en**　国家（*vs. the nation → the nation*s）
　ナツィオーン　　　ナツィオーネン

いずれも英語とよく似ていて、明らかに語源が同じ単語同士なのですが、英語の複数形は「-s」に一本化されています。英語が簡素化されている、ということがよく実感できますね。

● やはりウムラウトがついて、変音する場合もあります。
　　der Fuchs → **die** F**ü**chse　キツネ（*vs. the fox → the fox<u>es</u>*）
　　フッ(クス)　　　　フュ(ク)セ

　　das Haus → **die** H**äu**ser　家（*vs. the house → the hous<u>es</u>*）
　　ハウ(ス)　　　　ホイザー

● 英語にも例外として、複数形に「-en」がつく場合がありますね。
　　*the ox → the ox<u>en</u>*　雄牛（vs. der Ochse → **die** Ochs<u>en</u>）
　　　　　　　　　　　　　　　　　　　　　オ(ク)セ　　　　　オ(ク)セン

　綴りは違いますが、発音はまったく同じです。ドイツ語の複数形が簡素化されずに、英語に残った一例といえそうです。

> **ここが違う！**
> ・名詞の複数形は、ドイツ語ではワンパターンに作れない
> 　→　(2)「-e」「-er」「-en」の語尾がつき、場合によってはウムラウトをつける

## 例 3　　　　　　　　　　　　　　【「-s」がつくグループ】

ドイツ語：**das Restaurant → die Restaurants**
　　　　　ダ(ス) れ(ス)トラーン　　ディー れ(ス)トラーン(ス)
　　　　　レストラン

英　語：*the restaurant → the restaurant<u>s</u>*

> 解説

　最後に登場するのは、英語と同じく複数形が「-s」になるグループです。でも、安心しないでくださいね。このグループは、ドイツ語ではあくまで少数派です。なぜ英語と同じ「-s」をつけるのかというと、ずばり、**英語から入ってきた外来語**だからです。**フランス語**からの外来語も、やはりフランス語をまねて、複数形には「-s」をつけます。

　ほかにもいくつか、「新しい」単語を挙げてみましょう。

　　die CD → **die** CD**s**　コンパクトディスク
　　　ツェーデー　　ツェーデー(ス)

　　das Handy → **die** Handy**s**　携帯電話
　　　ハェンディー　　ハェンディー(ス)

　　der Laptop → **die** Laptop**s**　ラップトップ型パソコン
　　　ラェッ(プ)トッ(プ)　ラェッ(プ)トッ(プス)

　ちなみに、例に挙げた「レストラン」は、英語ではなくフランス語から入ってきた単語です。そのため、「tau」は「トー」と読み、最後の「t」は読みません。(そう考えると、日本語の「レストラン」もフランス語読みなんですね。ただしドイツ語で読むと、アクセントは最終音節の「rant」にあります。)

● 特殊な複数形になる語もあります。これらは主に、**ギリシア語やラテン語**からの外来語です。

　　das Museum → **die** Muse**en**　博物館
　　　ムゼーウ(ム)　　ムゼーエン

　　　(*vs. the museum → the museums*)

　　das Material → **die** Material**ien**　材料
　　　マテリアー(ル)　　マテリアーリエン

　　　(*vs. the material → the materials*)

> ここが違う！

・名詞の複数形は、ドイツ語ではワンパターンに作れない
　　→ (3) 英語やフランス語からの外来語には「-s」の語尾がつく

### ポイント：簡素化のしくみ

ドイツ語には元来、４種類の複数形があった
→　英語の複数形は、例外を除いて「-s」に一本化！
(→　英語の「-s」がドイツ語に逆輸入され、５つ目の複数語尾となる)

### ここに注意！

● 英語には、**複数形でしか使わない単語**があります。メガネやハサミ、ズボンなど、対になった衣類や道具に多いようです。ドイツ語では、これらのものは**単数形**で言います。あくまで「１つ」のものだからです。（どちらが合理的なのでしょうか…？）

  die Brille メガネ (vs. the glass*es*)
  (ブ)リ(ル)レ

  die Schere ハサミ (vs. the scissor*s*)
  シェーれ

  die Hose ズボン (vs. the pant*s*)
  ホーゼ

● 英語には**可算名詞**と**不可算名詞**の区別があり、冠詞のつけかたなど、厳密に使い分けているようですが、ドイツ語にはこの区別はありません。数えられるかどうかは気にしない（！）のです。そのため、英語では「数えられない」とされる不可算名詞でも、ドイツ語では複数形が使えます。

  die Nachricht → **die** Nachrichten ニュース (vs. the news)
  ナー(ハ)リ(ヒ)ト  ナー(ハ)リ(ヒ)テン

  der Ratschlag → **die** Ratschläge 忠告 (vs. the advice)
  らー(ト)(シュ)ラー(ク) らー(ト)(シュ)レーゲ

  das Möbel → **die** Möbel 家具 (vs. the furniture)
  モェーベ(ル)  モェーベ(ル)

# 3 | 格変化とは —「英語は語順で表現する」

### 例 1 　　　　　　　　　　　　　　　　【助詞のようなもの】

> ドイツ語：**Er gibt mir jedes Jahr eine Karte.**
> 　　　　　エア　ギ(プト)　ミア　イェーデ(ス)　ヤー(る)　アイネ　カ(る)テ
> 彼は毎年、私にカードをくれる。
>
> 英　　語：*He gives me a card every year.*

**解説**

　名詞のしくみがわかってきたところで、格変化に挑戦してみましょう。まず、**格とは何か**、ということから始めたいと思います。

　例文を見比べてみてください。「jedes Jahr / *every year*」という副詞句の位置が違うだけで、よく似ていますね。(ドイツ語は目的語を最後に持ってくる傾向があるので、副詞はこの位置になります [→Ⅰ-10「副詞と副詞句」を参照]。)

　この文で、まず「er / *he*」は主語になっています。「彼**は**」となるわけですね。それから、動詞のすぐあとの「mir / *me*」。これは**間接目的語**で、「私**に**」となります。さらにそのあとの「eine Karte / *a card*」は**直接目的語**なので、「カード**を**」という意味になります。

　ドイツ語では、主語を **1格**、間接目的語を **3格**、直接目的語を **4格** と名付けています。この、日本語で言うと「は」「に」「を」という**助詞**にあたるもの、これをドイツ語では**格**というのです。(ちなみに、2格は主に所有を表します。)

> ここが同じ！
・名詞（および代名詞）が主語、間接目的語、直接目的語などの機能を持つ

> ここが違う！
・ドイツ語では主語、間接目的語、直接目的語などの機能のことを「格」という

## 例2　【文型と格】

ドイツ語：**Er gibt mir eine Karte.**
エア ギ(プト)　ミア　アイネ　カ(る)テ
彼は私にカードをくれる。

英　語：*He gives me a card.*

### 解説

　例1をシンプルにした文で考えてみましょう。ドイツ語と英語が1語ずつみごとに対応しているため、「ドイツ語も英語も同じなのね」と思ってしまうかもしれませんが、実はこのうしろには、大きな違いが隠れています。

　まず英語では、「*文型*」が大きな意味を持っています。文型とは、いわば「この順番で表現せよ」という指令なので、そのとおりに文を組み立てていけば、意味のとおる文ができあがります。例文の動詞「*give*」は、「～が～に～を与える」という意味にするために、「*S + V + O + O*」という文型をとります。そのため、「*主語→動詞→間接目的語→直接目的語*」という語順になるのです。

● 英語では、*直接目的語と間接目的語の形を区別せず*、同じものを使います。そのため、語順を固定して混乱を防いでいるのでしょう。（そ

れとも、語順が固定したために、両者を区別する必要がなくなったのでしょうか…？）

● 例文の語順を少し変えてみましょう。
*He gives a card **to me**.* 彼は私にカードをくれる。
今度は、「***S+V+O**（＋前置詞句）*」の文型になりました。「***主語→動詞→直接目的語***」の語順で並んでいます。こうなると、「**〜に**」の部分が表現できないので、最後に「***to me***」という前置詞句を加えて、間接目的語の代わりにしています。

ドイツ語では格の概念が明白なので、語順を固定する必要はありません。
　　Er gibt es dem Kind.　彼はそれを子どもにあげる。
　　　　　　　　デ(ム) キン(ト)

この文では「es」が4格なので直接目的語、「dem Kind」が3格なので間接目的語になります。例2とは逆の語順になっていますね。（格の見分けかたは、次の課以降で詳しく説明します。）

**ここが違う！**
・英語は語順を固定して文型で表現する
・ドイツ語は語順を固定せず格で表現する

## 例 3 　　　　　　　　　　　　　　　　　　【語順は自由】

ドイツ語：**Eine Karte gibt er mir jedes Jahr.**
　　　　　アイネ　カ(る)テ　ギ(プト)　エア　ミア　イェーデ(ス) ヤー(る)
　　　　　カードを彼は毎年私にくれる。

英　　語：*He gives me a card every year.*

第2部　名詞と格変化

**解説**

　それでは最後に、語順が自由であるために味わえる、ドイツ語ならではの醍醐味を紹介していきましょう。

　ドイツ語では**目的語を文頭**に置ける、ということはすでにお話ししました。「目的語→動詞→主語」という語順になり、主語と動詞の順番が逆になるのでしたね［→Ⅰ-2「動詞の位置」を参照］。

　これは、格の考えかたを導入すると、次のようにとらえることができます。まず、文頭にある「eine Karte」。これは**4格**なので**目的語**です。動詞のあとにある「er」のほうが**1格**で、**主語**になります。そして「mir」は**3格**なので、**間接目的語**。このように、それぞれ**格によって**名詞（および代名詞）が明確に**違う形をとる**ために、どれが文頭に来ても困らず、意味を正確に伝えられるのです。

● 実は「eine Karte」は、1格も同じ形です。ところが、「er」は1格にしか使えません。そのため、「eine Karte」は1格ではない、と消去法でわかるのです。

● 3格を文頭に置くこともできます。
　Mir gibt er jedes Jahr eine Karte.　私に彼は毎年カードをくれる。
　**文頭**に置いた語は、最も**強調**したい語になります。

● 主語が一定の場所にないと、初めのうちはややこしいかもしれませんね。慣れてくれば、思いついた順に文を組み立てることができて、楽しくなりますよ！

**ここが違う！**

・主語以外のものを文頭に置ける
（←　語順が自由でも、格が明確に判断できるから）

> **ポイント：簡素化のしくみ**
> ドイツ語には４つの格がある
> ⇒ 英語では主格と目的格だけが残った
> 　（文の組み立てには不十分なため、語順が固定された）
> ⇒ ２格の一部は所有格として残った

## 覚えよう!! ─ ４つの格【基本】

格変化を習得するには、どの格がどんな意味に相当するのか、をしっかり把握しておく必要があります。基本中の基本ですので、頭に入れてしまってください！

　1 格　＝　主語　　　　〜が、〜は
　2 格　＝　所有格　　　〜の
　3 格　＝　間接目的語　〜に
　4 格　＝　直接目的語　〜を

● 2 格は英語の「〜's」に相当するほか、「*of* + 名詞」でも表現できます。（英語の所有格では、ドイツ語の 2 格すべてを表現できないからです。）

● 2 格・3 格・4 格は、文中で「〜の・に・を」に相当する意味になるほか、それぞれの格と結びつく動詞・形容詞・前置詞といっしょに使います。

> **コラム**

## 〔英語が見えてくる！〕英語で3格を感じてみる

　英語には**間接目的語**がありますが、不完全な形でしか残っていないため、どうしても前置詞の助けを借りることになります。それに対し、ドイツ語の**3格**には明確な形があるので、前置詞の助けを借りずにさまざまなことが表現できます。

　英文を読んでいると、「あ、これは3格なんだな」と感じられる箇所に出会うことがあります。するとなぜか、難しい構文でも納得できてしまうのです。ここではその前段階として、さまざまな3格の用法がどのように英語に反映されるのか、簡単に見ていきたいと思います。

**1) 間接目的語になる**　　[→　例1〜例3を参照]

**2) 動詞の目的語になる**

　一部の動詞は、**目的語が3格**になります。辞書には必ず、3格を使う旨が記されています。英語では**直接目的語**になる場合と、**前置詞句**になる場合があります。

　　Ich helfe dir.　君を助けるよ。　→　I help you.*
　　　ヘ(ル)フェ ディア

　　Es gehört dir.　これは君のものだ。　→　It belongs to you.
　　　ゲホェー(るト)

**3) 所有の3格**

　体の一部を指す場合に、「だれの」体か、ということが2格ではなく**3格**で表されます。英語では*所有格*になりますが、ドイツ語と同じように、「**目的語＋定冠詞**」の組み合わせで表現することもあるようです。

　　Ich wasche mir die Hände.　→　I wash my hands.
　　　ヴァッシェ ミア　ディー ヘンデ
　　私は自分の手を洗う。

　　Ich nehme ihm die Hand.　→　I catch him by the hand.*
　　　ネーメ　イー(ム)　ハン(ト)
　　私は彼の手をつかむ。

108

### 4）利害の3格

「〜のために」という言いかたです。英語では*前置詞句*になります。

Das ist mir hilfreich.　→　*This is helpful to me.*
　　　ミア　ヒ(ルフ)らイ(ヒ)

これは私の役に立つ。

### 5）分離の3格

「〜から」という言いかたで、一般的には「奪離の3格」などとよばれているようです。対象物から**離れる**ことになるので、「〜に」という3格の発想とは逆になりますね。もともとラテン語にあった**奪格**を、ドイツ語では3格に吸収したらしく、英語ではいろいろな言いかたで対応しています。

Er räubt mir die Zeit.　→　*He robs me of time.*＊
　　ろイ(プト)ミア ディー ツァイ(ト)

彼は私から時間を奪う。

Ich nehme ihm seine Tasche weg.　私は彼からカバンを取り上げる。
　　ネーメ　　イー(ム)　ザイネ　タッシェ　ヴェッ(ク)

→　*I take away his bag from him.*

### 6）形容詞の目的語になる

一部の形容詞は、**目的語が3格**になります。英語ではやはり、*前置詞句*などで対応しています。

Mein Hund ist mir gehorsam.　私の犬は私に従順だ。
マイン ホゥン(ト)　　　　ゲホ(る)ザー(ム)

→　*My dog is obedient to me.*

### 7）前置詞の目的語になる　［→Ⅱ-10「前置詞の格支配」を参照］

● 「＊」をつけた英文は、***直接目的語***（*me, you, him* など）を使っていますが、実はドイツ語の**3格**に対応する部分です。このような場合に、英文でも積極的に**3格を感じて**みましょう！　ちょっとクセのある構文でも、納得して読めるようになると思いますよ。

109

## 4 定冠詞の格変化
― 「英語は the しかないけれど」

### 例 1 【4格は男性のみ違う】

ドイツ語：**Den Film** <u>brauche</u> **ich** heute nicht.
　　　　　デン　フィ(ルム)　(ブ)らウヘ　イッ(ヒ)　ホイテ　ニ(ヒト)
そのフィルムは今日いらない。

英　語：*I do not <u>need</u> the film today.*

### 解説

　それではいよいよ、実際の格変化を覚えていきましょう。まずは**定冠詞**です。英語の「the」にあたるものです。

　定冠詞はすでに3種類出てきました。男性名詞は「**der**」[デア]、女性名詞は「**die**」[ディー]、中性名詞は「**das**」[ダ(ス)]、そして複数形には女性名詞と同じ「**die**」[ディー]がつくのでしたね。これらは実は、定冠詞の**1格**です。つまり、**主語になるときに使う形**なのです。

　これに対し、**目的語**になるときには**4格**の形を使います。名詞の前につける定冠詞が変わる、というわけです。英語にはない発想ですね。

　例文は、「**den** Film」という4格の目的語で文が始まっています。「**den**」[デン]というのは、**男性4格の定冠詞**です。そのため、「フィルム**を**（必要としない）」という意味になります。

● **女性・中性と複数**では、**1格と4格の定冠詞は共通**です。
　**Die Batterie** brauche ich heute nicht.　その電池は今日いらない。
　ディー　バッテリー

などとなります。

（1格と4格が共通なので、「Die Batterie」まで読んだときには、こ

れがどちらの格なのかはまだわかりません。「brauche ich」まで読むと、「あ、こっちが主語だ！」というのがはっきりして、「じゃあ、さっきのは4格だったのね」ということがわかります。)

> ここが違う！
> ・ドイツ語では格によって定冠詞が変わる
>   → 1格と4格では、男性のみ違う形になる

## 例 2　　　　　　　　　　【3格は「m」がつく】

ドイツ語：**Der Vater hilft dem Kind.**
デア　ファーター　ヒ(ルフト)　デ(ム)　キン(ト)
父が子を助ける。

英　語：*The father helps the child.*

**解説**

3格は間接目的語になる格ですが、ほかに、**3格と結びつく動詞**などといっしょに使うことがあります。例文では、「hilft < **helfen**」（助ける）という動詞が3格と結びついて、助ける相手を3格で表しています。

例文を分析してみましょう。まず文頭の「der Vater」。これは主語ですね。「Vater」（父）という男性名詞に「**der**」という**1格**の定冠詞がついているからです。

動詞のあとは、「Kind」（子）という中性名詞に、「**dem**」という定冠詞がついています。これは、すでに出てきた1格・4格共通の「das」ではありません。つまり、主語でも直接目的語でもない、ということがわかります。正解は、**3格**です。ドイツ語では、「helfen」は「〜に助けを与える」という発想なのですね。

- **男性3格**と**中性3格**は共通で、「**dem**」[デ(ム)]となります。語尾に「m」がつくのが特徴です。「m」がついたら3格！と覚えてください。

- **女性3格**は「**der**」[デア]、**複数3格**は「**den**」[デン]となり、それぞれ男性1格（der）・男性4格（den）と同じ形になります。男性名詞なのか、女性名詞なのか、複数形なのかが判断できるようになれば、混乱しなくなります。

- **複数3格**の場合、名詞のあとにも「**-n**」という語尾がつきます。
  Der Vater hilft **den Kindern**.　父は子どもたちを助ける。
  　　　　　　　　デン　キンダーン

> **ここが違う！**
> ・ドイツ語では格によって定冠詞が変わる
> 　→　3格では男性と中性が共通で、「m」がつく

---

## 例3　　　　　　　　　　　　　【2格は名詞にも「-s」】

ドイツ語：**Das ist der Plan des Hauses.**
　　　　　ダ(ス)　イ(スト)　デア　(プ)ラーン　デ(ス)　ハウゼ(ス)
これが家の図面です。

英　語：*This is the plan of the house.*

**解説**

　2格は**所有**を表す格です。英語の所有は「〜 's」で表しましたね。ドイツ語でも、**2格には「s」**がつきます。覚えやすいですね。
　実際の文中で見てみましょう。文頭の「das」は定冠詞と同じ形ですが、ここでは指示代名詞で、「*this*」と同じ意味になります。これが1格なので、主語ですね。

動詞のあとの「der Plan」はどうでしょうか。「Plan」は男性名詞です。ということは、「der」がついているので、これも1格ですね。(この文は「S+V+C」という補語をとる文型になるため、「S＝C」という関係が成り立ち、**補語は1格**になるのです。)

次の「des Hauses」は中性名詞で、1格であれば「das Haus」となります。**名詞も変化**しているのがわかりますね。**男性2格**と**中性2格**の定冠詞は「**des**」となり、名詞にも「**-(e)s**」という**2格の語尾**がつきます。(名詞も格変化を起こしているのです！)

● **女性2格**と**複数2格**は共通で、「**der**」となります。「s」がつかないため、名詞に「-(e)s」はつきません。

● 英語の所有格「〜's」は名詞の前に来ますが、ドイツ語の2格は**うしろから修飾**します。そのため、「*of* 〜」だと思っておいたほうが便利でしょう。

　　Das ist die Tasche **des Lehrers**.　これは教師のカバンだ。
　　　　ディー タッシェ デ(ス) レーらー(ス)
　　*This is **the teacher's** bag.*

### ここが違う！
・ドイツ語では格によって定冠詞が変わる
　→　2格では男性と中性が共通で、「s」がつく

### ポイント：簡素化のしくみ
ドイツ語の定冠詞には4×4の形がある
　⇒　英語では「*the*」だけ！

## 覚えよう!! ― 定冠詞の格変化【基本】

|     | 男性 | 女性 | 中性 | 複数 |
| --- | --- | --- | --- | --- |
| 1格 | der<br>デア | die<br>ディー | das<br>ダ(ス) | die<br>ディー |
| 2格 | des [-(e)s]<br>デ(ス) | der<br>デア | des [-(e)s]<br>デ(ス) | der<br>デア |
| 3格 | dem<br>デ(ム) | der<br>デア | dem<br>デ(ム) | den [-n]<br>デン |
| 4格 | den<br>デン | die<br>ディー | das<br>ダ(ス) | die<br>ディー |

※ 女性・中性・複数は1格と4格が同じです。[→タテの関係]
※ 女性は2格と3格も同じです。[→タテの関係]
※ 男性と中性の2格と3格はそれぞれ同じです。[→ヨコの関係]
※ 女性と複数の1格・2格・4格はそれぞれ同じです。[→ヨコの関係]
※ 男性1格、女性2格と3格、複数2格が同じです。[→ナナメの関係]
※ 男性4格と複数3格が同じです。[→ナナメの関係]

● 覚えかたのコツは、いろいろあります。タテに覚えるのが一般的のようですが、ぜひヨコに覚えてみることをお薦めします。そのほうが、「何格なのか」をはっきり認識できるからです。まずは、どことどこに同じものがあるのかを、繰り返し確かめることから始めてみてください。

● 定冠詞と同じ変化をするものを、「定冠詞類」とよんでいます。dieser [ディーザー] (この)、jener [イェーナー] (あの)、jeder [イェーダー] (各々の)、welcher [ヴェ(ル)ヒャー] (どの) などがあり、いずれも定冠詞と同じ語尾がつきます。

## 覚えよう!! — 疑問詞【応用】

疑問詞も格変化します。英語でも「*who*」と「*whom*」を使い分けますね。これと同じ発想です。定冠詞の語尾とよく似ているので、覚えやすいと思います。頭の隅に入れておいてください。

| 1格 | wer<br>ヴェア | was<br>ヴァ(ス) |
|---|---|---|
| 2格 | wessen<br>ヴェッセン | - |
| 3格 | wem<br>ヴェ(ム) | - |
| 4格 | wen<br>ヴェン | was<br>ヴァ(ス) |

※「was」の2格と3格はありません。

## 覚えよう!! ― 男性弱変化名詞【応用】

　本文で見たように、男性2格には名詞にも「-s」という語尾がつくのですが、つかないグループがあります。これを、**男性弱変化名詞**とよんでいます。

　このグループの特徴は、2格に「-s」がつかないばかりでなく、**2格の形をすべての格で踏襲**してしまうところにあります。

　具体的には、**2格の語尾が「-(e)n」**となるのが目印です。下の例で確認してください。

|     | 単数 | 複数 |
| --- | --- | --- |
| 1格 | der Mensch（人間）<br>メン(シュ) | die Menschen<br>メンシェン |
| 2格 | des Mensch**en** | der Mensch**en** |
| 3格 | dem Mensch**en** | den Mensch**en** |
| 4格 | den Mensch**en** | die Mensch**en** |

● 「男性弱変化名詞」という名称は覚えなくてもよいので、「あ、あの変な名詞ね」という程度に認識しておいてください。そして、「単数のはずなのに、なぜ複数形なんだろう？」と悩んだときに、思い出してください！

# 5 | 不定冠詞の格変化
― 「英語は a / an しかないけれど」

## 例 1 【名詞の性によって変わる】

**ドイツ語：Ist das eine Frage oder ein Kommentar?**
イ(スト) ダ(ス) アイネ (フ)らーゲ オーダー アイン コメン**タ**ー(る)
それは質問？　それともコメント？

**英　語：Is that a question or a comment?**

### 解説

「**1つの**」という言いかたをするときにつける冠詞を、**不定冠詞**といいます。英語には「*a*」と「*an*」の2種類がありましたね。使い分けは簡単でした。*次に続く語の発音*が母音で始まれば「*an*」、子音で始まれば「*a*」をつければよいのでしたね。

例文では「***a* question**」「***a* comment**」となっています。「*question*」も「*comment*」も子音で始まるからですね。これに対し、母音で始まる語は、「***an* apple**」などとなるのでした。ただし、同じ「*question*」でも、その前に母音で始まる形容詞などがあれば、「***an* easy question**」と冠詞が変わります。また、綴りに子音があっても発音しない場合、発音上は母音で始まることになるので、やはり「***an* hour**」などとなります。

ドイツ語では、あとに続く語の発音は関係ありません。不定冠詞が違う形をとるのは、**名詞の性が違う**からです。例文では、「Frage」は**女性名詞**なので「**eine**」、「Kommentar」は**男性名詞**なので「**ein**」という不定冠詞がついています。「1つの」という言いかたは、ドイツ語では名詞の性によって変化するのです。

● ここに出てきたのは **1格** の形です。（中性では「ein」となります。）

● 「ein」という不定冠詞は、数詞の1(= eins)［アイン(ス)］から来ています。そのため、1という数も表します。

**ein** Meter　1メートル
アイン メーター

**eine** Scheibe Schinken　ハム1枚
アイネ シャイベ　シンケン

**ここが同じ！**
・「1つの」を表す不定冠詞が複数ある

**ここが違う！**
・英語ではあとに続く語の発音によって使い分ける
・ドイツ語では名詞の性によって変わる

## 例 2　　【4格の形】

ドイツ語：**Er kauft einen Hut, eine Jacke und ein Taschentuch.**
エア カウ(フト)　アイネン　フー(ト)　アイネ　ヤッケ　ウン(ト)　アイン
タッシェントゥー(ホゥ)

彼は帽子と上着とハンカチを買う。

英　語：*He buys a hat, a jacket, and a handkerchief.*

**解説**

次に、不定冠詞の**格変化**を見ていきましょう。まずは**4格**です。目的語になるとき、英語では主語と同じように、「*a(n)*～」と言っていれ

ばよかったのですが、ドイツ語では不定冠詞を変化させなければなりません。

変化のしかたは、**定冠詞とほぼ同じ**です。定冠詞では、男性のみ1格と形が変わって「den」となり、女性と中性は1格と共通でした。不定冠詞でも、**女性と中性は1格と同じ**で、「eine」・「ein」のままです。男性では「ein」→「**einen**」となり、定冠詞と同じ「**-n**」という語尾がつきます。

男性1格　**ein** Hut　→　男性4格　**einen** Hut
　　　　　アイン　　　　　　　　　　アイネン
　　　　（der Hut）　　　　　　　（den Hut）

女性1格　**eine** Jacke　→　女性4格　**eine** Jacke
　　　　　アイネ　　　　　　　　　　　アイネ
　　　　（die Jacke）　　　　　　　（die Jacke）

中性1格　**ein** Taschentuch　→　中性4格　**ein** Taschentuch
　　　　　アイン　　　　　　　　　　　　　アイン
　　　　（das Taschentuch）　　　　　　（das Taschentuch）

● 定冠詞と不定冠詞を並べると、いろいろなことがわかってきます。いくつか挙げてみましょう。
　① 男性のみ4格で変化し、女性と中性は1格と共通
　② 男性4格は定冠詞と同じ、「-n」という語尾がつく
　③ 女性1格・4格はともに「-e」という語尾がついている
　④ **男性1格、中性1格・4格**は「**ein**」となっていて、定冠詞に特徴的な「-r」・「-s」という語尾が欠けている ⇒「**無語尾**」(！)
　→　この最後の点が重要です。この3カ所に語尾がないのが、不定冠詞の特徴です。

### ここが違う！
・ドイツ語の不定冠詞は格変化もする
　→（1）4格では男性のみ変化

第2部　名詞と格変化

## 例 3 【2格・3格の形】

ドイツ語：**Er hat die Würde eines Königs.**
エア ハッ(ト) ディー ヴュ(る)デ　アイネ(ス)　コェーニ(ヒス)
彼には王のような威厳がある。

英　　語：*He has the dignity of a king.*

### 解説

不定冠詞の**2格**と**3格**は、**定冠詞と同じ語尾**がつきます。例文では「**eines**」となっているので、「**des**」と同じ語尾です。つまり、男性か中性の2格、というわけです。（ここでは男性2格です。）

3格の例も挙げてみましょう。男性と中性の3格は「**-m**」がつきましたね。不定冠詞も同じで、「**einem**」となります。

　Die Krone gehört einem König.　その王冠は王のものだ。
　(ク)ろーネ ゲホェー(るト)　アイネ(ム)　コェーニ(ヒ)
　*The crown belongs to a king.*

女性の2格と3格は、ともに「**-r**」がついて、「**einer**」となります。
　Sie hat die Würde einer Königin.
　　　　　　　　　　　アイナー　コェーニギン
　彼女には女王のような威厳がある。（＝2格）

　Die Krone gehört einer Königin.
　　　　　　　　　アイナー　コェーニギン
　その王冠は女王のものだ。（＝3格）

● 英文は、*He has a king's dignity.* と言うこともできますが、ドイツ語の2格はつねにうしろから修飾します。名詞の前に置くことはできません。

● 「gehören」[ゲホェーれン]（属する）という動詞は、「～に」という目的語の部分が**3格**になります。英語では、この3格の部分は***前置詞句***になります。

　　　gehören + 3格　⇒　*belong + to ~*

### ここが違う！
・ドイツ語の不定冠詞は格変化もする
　⇒（2）2格・3格では定冠詞と同じ語尾がつく

### ポイント：簡素化のしくみ
ドイツ語の不定冠詞は性と格によって形が変わる
　⇒　英語では「*a / an*」だけ！

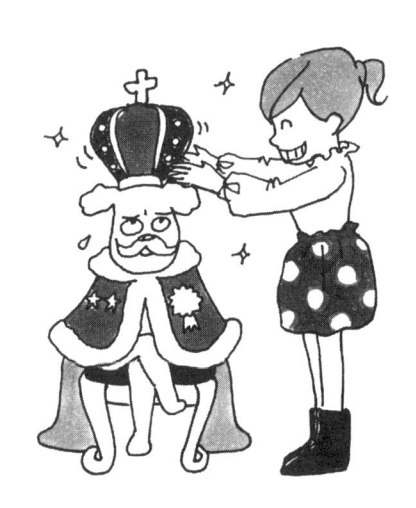

## 覚えよう!! ― 不定冠詞の格変化【基本】

|     | 男性 | 女性 | 中性 | 複数 * |
| --- | --- | --- | --- | --- |
| 1 格 | ein | eine | ein | keine |
| 2 格 | eines [-(e)s] | einer | eines [-(e)s] | keiner |
| 3 格 | einem | einer | einem | keinen [-n] |
| 4 格 | einen | eine | ein | keine |

● 網かけをした 3 カ所（「ein」）のみ、語尾がついていません。そのほかは、定冠詞と同じ語尾がつきます。（「-e」「-s」「-r」「-m」「-n」を確認してください。）
　→ この原則さえ頭に入ってしまえば、不定冠詞の表を覚える必要はありません！　定冠詞と同じ語尾をつければいいからです。

　*)「ein」に複数形はないので、否定冠詞「kein」の複数形を載せています。次の課以降で役立ててください。

● 不定冠詞と同じ変化をするものを、「不定冠詞類」と言います。いずれも男性 1 格と中性 1・4 格で語尾がありません。否定冠詞「kein」と所有冠詞がこのグループに入ります。

> **コラム**
>
> ## 〔英語が見えてくる！〕冠詞をつけないとき
>
> 既知のものには「*the*」（＝定冠詞）を、未知のものには「*a*」（＝不定冠詞）を、というのは、ドイツ語にもあてはまる大原則ですが、細かい規則は微妙に違っています。英語でせっかく覚えたのに、ドイツ語では使えないとなると、肩を落としたくもなりますが、ここはぜひ前向きにとらえて、違いを楽しんでみましょう。
>
> **1)** *英語は無冠詞* → ドイツ語は冠詞あり
>
> ①「建物」や「場所」を表す名詞が本来の目的を表すとき
>
> *I go to school everyday.* 　毎日学校へ行きます。
>
> → Ich gehe jeden Tag in die Schule.
> 　　ゲーエ　イェーデン　ター（ク）　　シューレ
>
> ② 交通・通信などの手段を表すとき
>
> *I go to school by bus.* 　私はバスで学校へ行きます。
>
> → Ich fahre mit dem Bus in die Schule.
> 　　ファーれ　ミッ(ト) デ(ム) ブ(ス)
>
> ③ 抽象名詞
>
> *He fights for freedom.* 　彼は自由のために戦う。
>
> → Er kämpft für die Freiheit.
> 　　ケ(ムプフト) フュア ディー (フ)らイハイ(ト)
>
> **2)** 英語は冠詞あり → *ドイツ語は無冠詞*
>
> ① 職業を言うとき
>
> *My father is a teacher.* 　父は教師です。
>
> → Mein Vater ist Lehrer.
> 　　マイン　ファーター　レーらー
>
> ②「～につき」の意味になるとき
>
> *We earn 10 euros an hour.*
>
> われわれは 1 時間に 10 ユーロの稼ぎがある。
>
> → Wir verdienen 10 Euro pro Stunde.
> 　　フェアディーネン ツェーン オイろ (プ)ろ (シュ)トゥンデ
>
> （または：10 Euro die Stunde）

## 6 否定文の作りかた②
― 「『no ＋名詞』が本流になる」

### 例 1  【名詞の前に「kein」をつける】

ドイツ語：**Das ist kein Ausgang.**
　　　　　ダ(ス) イ(スト) カイン　アウ(ス)ガン(ク)
　　　　　ここは出口ではありません。

英　語：*That is **not an** exit.*

**解説**

　否定の副詞「nicht」を使った否定文は、すでに紹介しました［→Ⅰ-7「否定文の作りかた①」を参照］。ここでは、**否定冠詞**「kein」[カイン]を使って否定文を作っていきましょう。ドイツ語では**名詞を否定**するとき、直前に「kein」をつけるのです。

　例文を見てください。「**kein** Ausgang」となっていますね。これは「ein Ausgang」の否定です。つまり、

　　Das ist **ein** Ausgang.　　ここは出口だ。
　　→ Das ist **kein** Ausgang.　ここは出口ではない。

のように、**冠詞を変えるだけ**で否定文ができあがってしまう、というわけです。

● 否定冠詞の「kein」は、英語の「*not + a(n)*」にあたります。
　（ドイツ語では、「nicht + ein」は例外的にしか使われません。）

● 「kein」は**不定冠詞の代わり**なので、定冠詞を「kein」で否定することはできません。「nicht」を使うことになります。

Das ist der Ausgang. ここが出口だ。
→ Das ist **nicht** der Ausgang. ここはその出口ではない。

● 「kein」は冠詞なので、あとに続く**名詞の性**によって形が変わります。（例文は男性名詞なので、「**kein** Ausgang」となっています。）

Das ist **keine** Postkarte. これは葉書ではない。
カイネ　ポ(スト)カ(る)テ
（die Postkarte 女性名詞）

Das ist **kein** Spiel. これは遊びではない。
カイン　(シュ)ピー(ル)
（das Spiel 中性名詞）

### ここが違う！
・ドイツ語では名詞を否定するとき、否定冠詞「kein」を使う
　→　名詞の性によって形が変わる

---

## 例 2　【「kein」の格変化】

ドイツ語：**Ich habe keinen Bruder.**
　　　　イッ(ヒ)　ハーベ　カイネン　(ブ)るーダー
私には兄（または弟）はいない。

英　語：*I do not have a brother.*

### 解説

さて、否定冠詞「kein」は**格変化**もします。いや～な予感がした人もいるかもしれませんが、ご安心ください。「kein」の格変化は、**不定冠詞「ein」とまったく同じ**です。前に「k」を加えるだけでよいのです！

例文では**男性4格**なので、「einen」に「k」を加えて「**keinen**」となっていますね。英文と比べると、やはり「*not + a(n)*」の代わりになっ

ているのがわかります。
　　Ich habe einen Bruder. → Ich habe keinen Bruder.

● 「kein」には、**複数形**もあります。1格と4格で「**keine**」、2格で「**keiner**」、3格で「**keinen**」となります。それぞれ、定冠詞の「die」「der」「den」と語尾が同じですね。
　　Wir haben keine Waren im Laden.　店に商品がありません。
　　ヴィア ハーベン カイネ　ヴァーれン イ(ム) ラーデン
　　　　　　　　　　　　　　　　　　　　　　　　　　　　（複数4格）

● **無冠詞の名詞**を否定するときにも「kein」を使います。性・数・格をよく考えて、名詞の前に置きましょう。
　　Er hat Geld. → Er hat kein Geld.　彼はお金がない。（中性4格）
　　　　ゲ(ルト)　　　　　　カイン ゲ(ルト)

### ここが違う！
・否定冠詞「kein」は格変化をする
　→　語尾は不定冠詞「ein」と同じだが、複数形もある

## 例 3　　　　　　　　　　　【「no ＋名詞」の含みはない】

ドイツ語：**Wir sind keine Experten.**
　　　　　ヴィア ズィン(ト) カイネ　エ(クス)ペ(る)テン
　　　　私たちは専門家ではありません。

英　語：*We are no experts.*

> 解説

　ところで、名詞の前に置いて否定する語と言えば、英語にも「*no*」があります。「kein」と同じように名詞の前に置いて、文全体を否定できる便利な語です。

　　*I have **no** idea.*　私には見当がつきません。
　　*He has **no** money.*　彼はお金がない。

など、よく使われる表現もあるようです。

　でも、「kein」は「*no*」と等価ではありません。「*no* +名詞」には、「少しも〜ない」「1つも〜ない」という含みがあるからです。形は同じに見えても、意味が強くなってしまうのですね。例文で言えば、

　　*We are **not** experts.*

となっていれば、「専門家ではない」という事実をただ述べているのに対して、

　　*We are **no** experts.*

の場合は、「専門家ではない」ということを強調していることになります。だから、「kein」はあくまで「*not* + *a(n)*」の代わりなのです。

● 英語の「*no*」は冠詞ではなく、形容詞として分類されているようです。

> ここが同じ！

・名詞の前に否定語を置いて、文を否定できる

> ここが違う！

・英語の「*no* +名詞」には、意味に含みがある

## 7 所有冠詞 ―「英語は形が変わらない」

### 例 1　　　　　　　　　　　　　　　　　　　【「my」も格変化】

ドイツ語：**Ich schicke meiner Mutter ein Paket.**
　　　　　イッ(ヒ) シッケ　　マイナー　　　ムッター　　　アイン パケー(ト)
　　　　　私は母に小包を送る。

英　語：*I send my mother a parcel.*

**解説**

「だれだれの」という**所有冠詞**も、やはり**不定冠詞と同じ格変化**をします。英語は形が変化しなかったので、とっても楽でしたね。でも、ドイツ語では格がわかるので、実は便利なのです。あと少し、がんばりましょう！

英語の「my」は、ドイツ語では「**mein**」[マイン]となります。発音が似ているので、親しみやすいですね。「ein」と同じ格変化をするので、前に「m」を加えるだけでよい、ということになります。例文では「**meiner** Mutter」となっています。**女性名詞**に「eine**r**」=「de**r**」と同じ語尾がついているので、**2格か3格**、ということがわかりますね。（ここでは3格です。）

● 英語では冠詞ではなく、*代名詞の所有格*という位置付けになっているようです。

**ここが同じ！**
・「だれだれの」を表す所有の言いかたがある

128

> ここが違う！
> ・ドイツ語の所有冠詞は格変化をする
> → 語尾は不定冠詞「ein」と同じで、複数形もある

## 例 2　【ややこしい対応関係】

ドイツ語：**Ist das ihre Tasche?**
イ(スト) ダ(ス) イーれ タッシェ
これは彼女（彼ら）のカバンですか？

英　　語：*Is this her bag? / Is this their bag?*

**解説**

　ここで、**人称代名詞**の復習をしておきましょう。「ich」（= *I*）や「er」（= *he*）など、英語と1対1の関係で対応しているものもありましたが、「sie」がいくつかの意味を持っていたり、逆にドイツ語では2人称の形がいくつもあったり、対応関係は複雑でしたね。

　**所有冠詞**になっても、その関係は変わりません。次ページの表で「sie」は大文字も含めて4カ所に現れていますが、それに対応する所有冠詞はすべて「**ihr**」[イーア]になります。（敬称の場合は「**Ihr**」と大文字で書きます。）

　例文では「ihre Tasche」となっているので、所有冠詞「ihr」の**女性1格**ですね。女性1格になっているのは、「Tasche」が女性名詞だからです。「ihr」が「彼女の」を指すのか、「彼らの」を指すのかは、文脈を見ないとわかりません。

　**2人称**については、英語ではすべて「*your*」といえるところを、「**dein**」[ダイン]、「**euer**」[オイアー]、「**Ihr**」[イーア]の3種類（4カ所）で使い分けます。また、**3人称単数**の所有冠詞は、男性と中性で同じ「**sein**」[ザイン]となります。

| 単数人称 | | 複数人称 | |
| --- | --- | --- | --- |
| ich (*I*) | mein (*my*)<br>マイン | wir (*we*) | unser (*our*)<br>ウンザー |
| du (*you*) | dein (*your*)<br>ダイン | ihr (*you*) | euer (*your*)<br>オイアー |
| [**Sie** (*you*)] | [**Ihr** (*your*)]<br>イーア | [**Sie** (*you*)] | [**Ihr** (*your*)]<br>イーア |
| er (*he*) | sein (*his*)<br>ザイン | **sie** (*they*) | **ihr** (*their*)<br>イーア |
| **sie** (*she*) | **ihr** (*her*)<br>イーア | | |
| es (*it*) | sein (*its*)<br>ザイン | | |

- 「sie」= 3人称単数「彼女は」、3人称複数「彼らは」
  ⇒「ihr」となる
- 「Sie」(大文字) = 2人称敬称「あなたは」「あなた方は」
  ⇒「Ihr」となる
- 「ihr」には「君たちは」の意味もあるので注意！

ここが同じ！
・所有冠詞（*代名詞の所有格*）は人称代名詞と対応している

## 例 3 【格変化の語尾】

ドイツ語: **Wir schicken unserer Mutter ein Paket.**
ヴィア シッケン　　　　ウンゼらー　　　ムッター　　アイン パケー(ト)
私たちは母に小包を送る。

英　　語: *We send our mother a parcel.*

### 解説

　所有冠詞は、不定冠詞と同じ格変化をします。「mein」や「dein」「sein」といった、見かけが「ein」とよく似た人称では、それぞれ「m」「d」「s」を頭にくっつければいいだけなので、悩まなくてもよさそうですね。
　例文は、「**unser**」（私たちの）を格変化させた例です。これに「-er」という語尾がついて、**女性3格**になっています。例1とまったく同じで、「einer」=「der」と同じ語尾がついている、というわけですね。「unser」はもともと「r」で終わっているので、「-er」をつけると「r」が2つ現れることになります。

● 「**ihr**」と「**euer**」も同じく「-r」で終わっています。そのため、無語尾の格では「-r」で終わることになります。女性2格・3格および複数2格の語尾「-er」と、見間違えないように気をつけてください。
　Wir schicken **unser** Paket ab.
　　　　　　　ウンザー　パケー(ト) アッ(プ)
　私たちは小包を発送する。（中性4格）

● **無語尾の格**を確認しておきましょう。男性1格、中性1格、中性4格の3カ所です。不定冠詞で「ein」という形になる箇所と同じです。これ以外は、格変化の語尾がつきます。

### ここが違う！

・すべての所有冠詞に格変化の語尾がつく（無語尾の格に注意！）

## 覚えよう!! ― 所有冠詞の格変化【基本】

### 1)「-n」で終わるグループ … 「mein」「dein」「sein」

|     | 男性 | 女性 | 中性 | 複数 |
| --- | --- | --- | --- | --- |
| 1格 | mein | meine | mein | meine |
| 2格 | meines [-(e)s] | meiner | meines [-(e)s] | meiner |
| 3格 | meinem | meiner | meinem | meinen [-n] |
| 4格 | meinen | meine | mein | meine |

### 2)「-r」で終わるグループ … 「ihr」「unser」「euer」*

|     | 男性 | 女性 | 中性 | 複数 |
| --- | --- | --- | --- | --- |
| 1格 | ihr | ihre | ihr | ihre |
| 2格 | ihres [-(e)s] | ihrer | ihres [-(e)s] | ihrer |
| 3格 | ihrem | ihrer | ihrem | ihren [-n] |
| 4格 | ihren | ihre | ihr | ihre |

*)「euer」の場合、「eueres」「euerem」などとすると発音がしにくいので、「eures」「eurem」などのように、「r」の前の「e」を省略します。

● すべて不定冠詞と同じ格変化をするので、この2つの表を丸暗記する必要はありません。どのように語尾をつければいいか、ということだけ覚えておけばじゅうぶんです。

# 8 | 人称代名詞 ―「I, my, me のドイツ語版」

## 例 1　　　　　　　　　　　　【1人称と2人称】

ドイツ語：**Jeden Morgen holt sie mich ab.**
イェーデン　モー(る)ゲン　ホー(ルト)　ズィー　ミッ(ヒ)　アッ(ブ)
毎朝、彼女は私を迎えにくる。

英　　語：*She picks me up every morning.*

### 解説

　英語の人称代名詞は、「*I, my, me*」「*you, your, you*」などと唱えて覚えましたね。この3つの形は、それぞれ**主格・所有格・目的格**に対応するもので、主格は**主語**になり、所有格は名詞の前につけて**所有**を表し、目的格は文型によって**直接目的語**になったり、**間接目的語**になったりしました。

　ドイツ語にも、同じような体系があります。「ich, mir, mich」「du, dir, dich」などとなるのですが、この3つの形は **1格・3格・4格**を表し、2格（＝所有格）は含まないのが通例です。例文の「mich」は4格、というわけですね。

|  | 主格 – 所有格* – 目的格 | **1格 – 3格* – 4格** |
|---|---|---|
| 1人称単数 | I – my – me | ich – mir – mich<br>イッ(ヒ)　ミア　ミッ(ヒ) |
| 2人称単数 | you – your – you | du – dir – dich<br>ドゥー　ディア　ディッ(ヒ) |
| 1人称複数 | we – our – us | wir – uns – uns<br>ヴィア　ウン(ス)　ウン(ス) |
| 2人称複数 | you – your – you | ihr – euch – euch<br>イーア　オイ(ヒ)　オイ(ヒ) |

＊便宜上、英語の所有格とドイツ語の3格が対応するかのように並べてありますので、ご注意ください。

● 1人称と2人称では、**単数では3格と4格を区別**しますが、複数では3格と4格が同じ形になります。（文脈で判断することになります。）

● 人称代名詞の**2格**は、古めかしい言い回しにしか残っておらず、現在ではほとんど使いません。「meiner」「deiner」のように、所有冠詞とよく似た形をしていますが、**所有の意味はなく、2格を目的語とする動詞や形容詞、前置詞などといっしょに使うためのもの**です。

### ここが同じ！
・人称代名詞の形が格によって変わる

### ここが違う！
・ドイツ語は3格と4格を使い分ける
・ドイツ語は所有格を含まない

### 例 2 【3人称】

ドイツ語：**Jeden Morgen holt sie ihn ab.**
イェーデン　モー(る)ゲン　ホー(ルト)　ズィー　イーン　アッ(プ)
毎朝、彼女は彼を迎えにいく。

英　　語：*She picks him up every morning.*

#### 解説

　さて、少々複雑に見えるのが、**3人称**の代名詞です。英語と同じく、単数形には男性・女性・中性の3種類があるからです。でも、しくみを知ってしまえば、恐れることはありません。原理はなんと、定冠詞と同じなのです。次ページの表で確認してみましょう。

　定冠詞と言えば、「de**r**」「di**e**」「da**s**」、それに複数の「di**e**」。これに対応する人称代名詞は「e**r**」「si**e**」「e**s**」、それに「si**e**」ですが、語尾が似ていると思いませんか？

　次に4格を見てみましょう。4格は男性が「de**n**」と変化しましたが、女性と中性、それに複数形は、1格と4格の形が共通でしたね。人称代名詞も、男性4格が「**ihn**」となるほかは、すべて1格と同じ形であることがわかると思います。（例文では、この男性4格を使っています。）

　**3格**は、もうおわかりですね。男性と中性に「-m」がつきました。人称代名詞でも、男性と中性は「**ihm**」となっています。そして女性3格は「de**r**」⇒「**ihr**」、複数3格は「de**n**」⇒「**ihnen**」と、みごとに語尾が一致していますね。

| | 主格 − 所有格* − 目的格 | 1格 − 3格* − 4格 |
|---|---|---|
| 3人称単数 | he − his − him<br>she − her − her<br>it − its − it | er − ihm − ihn<br>エア　イ−(ム)　イ−ン<br>sie − ihr − sie<br>ズィー　イーア　ズィー<br>es − ihm − es<br>エ(ス)　イ−(ム)　エ(ス) |
| 3人称複数<br>[2人称敬称] | they − their − their | sie − ihnen − sie<br>ズィー　イーネン　ズィー<br>[Sie − Ihnen − Sie] |

＊便宜上、英語の所有格とドイツ語の3格が対応するかのように並べてありますので、ご注意ください。

### ここが同じ！
・3人称単数は男性・女性・中性の3種類がある

### ここが違う！
・ドイツ語は3格と4格を区別する
・3人称では1格と4格が共通していることが多い

## 例3　　　　　　　　　　　　　　　　【物も性を区別する】

ドイツ語：**Wann kommt der Zug? − Er ist schon da!**
　　　　　ヴァン　コ(ムト)　デア　ツー(ク)　エア イ(スト) ショーン ダー
　　　　　電車はいつ来るの？ ― もういるよ！

英　語：*When does the train come? − It is already there!*

**解説**

　3人称の使いかたでもっとも注意が必要なのは、「物」を受けるとき

です。英語では名詞を性で区別しないので、「物」は自動的に「*it*」で受けますが、ドイツ語では**その名詞の性で受ける**ことになります。つまり、男性名詞は「**er**」、女性名詞は「**sie**」で受け、中性名詞のときだけ「**es**」（= *it*）を使う、というわけです。

例文では、「**Er ist schon da!**」とありますが、「彼はもういるよ」と、だれか人間のことを話しているのではありません。ここでは前の文の「**der Zug**」（電車）を受け、これが**男性名詞**なので「er」を使っているのです。

● 「er」とか「sie」を見ると、初めのうちはどうしても、「彼」・「彼女」、つまり人間を思い浮かべてしまうことと思います。意識して、頭を切り替えていってください！

● 逆に、「それ」＝「es」という図式も書き換える必要があります。例文で、
Wann kommt der Zug? – △ **Es** ist schon da!
と言うと、会話では通じることもありますが、文法的には間違いになります。

> ここが違う！
> ・「物」を受けるとき、英語ではすべて「*it*」を使う
> ・ドイツ語では「物」を受けるときも性を区別する

## 覚えよう!! ― ３格と４格の語順【応用】

　ドイツ語の語順は比較的自由ですが、３格と４格に関しては、ある程度語順が決まっています。あくまで原則ですが、参考にしてください。

１）どちらも名詞の場合 ･･･ ３格→４格

　　Ich gebe der Kellnerin ein Trinkgeld.
　　ゲーベ　　　ケ(ル)ネリン　　(ト)リン(ク)ゲ(ルト)
　　　　　　　　［３格］　　　　　［４格］

　　ウェイトレスにチップを渡す。

● 英語と同じ、$S+V+O+O$の語順になります。
● 逆にしてしまうと、３格の部分が２格と間違えられる恐れがあります。（女性は２格と３格が共通で、２格はうしろから修飾するためです。）
　　× 　Ich gebe ein Trinkgeld der Kellnerin.
　　　　　　　　［４格］　　　　［２格？］

２）どちらかが代名詞の場合 ･･･ **代名詞→名詞**

　　Ich gebe **ihr** ein Trinkgeld.　彼女にチップを渡す。
　　　　　　［３格］　　［４格］

　　Ich gebe **es** der Kellnerin.　それをウェイトレスに渡す。
　　　　　　［４格］　　［３格］

● 代名詞は短くて軽いため、先に言ってしまいます。（代名詞は既出のものを指すため、新しい情報をなるべく最後に言うための措置でもあるようです。）

３）どちらも代名詞の場合 ･･･ **４格→３格**

　　Ich gebe **es ihr**. それを彼女に渡す。

● 両方とも代名詞になると、なぜか順番が逆になってしまいます。ドイツ語を長くやっているとしっくりくるのですが、なんとも不思議ですね。

**コラム**

〔英語が見えてくる！〕**es** と **it** は双子の兄弟？

本文で見たとおり、3人称中性の「es」は英語の「it」にあたります。そして「it」と同じように、人称代名詞以外にもさまざまな「顔」を持っています。いくつか代表的な用法を紹介しましょう。

**1）人称代名詞として**

① 3人称単数：中性1格および4格

Das <u>ist</u> mein Haus. **Es** <u>ist</u> 30 Jahre alt.
　　マイン　ハウ(ス)　　　(ド)らイスィ(ヒ)　ヤーれ　ア(ルト)

これが私の家です。築30年です。

This <u>is</u> my house. **It** <u>is</u> 30 years old.

② 文や語句を受ける

Unser Lehrer <u>ist</u> krank. – Ja, ich <u>weiß</u> **es** schon.
　　　　　(ク)らン(ク)　ヤー　　ヴァイ(ス)　　ショーン

「先生は病気だよ」「うん、もう知っているよ」

Our teacher <u>is</u> sick. – Yes, I already <u>know</u> **it**.

③ 補語を受ける *

Er <u>ist</u> reich, aber ich <u>bin</u> **es** nicht.
　　　らイ(ヒ)　アーバー

彼は金持ちだが、私はそうではない。

He <u>is</u> rich, but I <u>am</u> not（rich）.〔→ **it** は使わない！〕

**2）非人称の主語・目的語として**

① 自然現象

**Es** <u>regnet</u> viel in dieser Gegend.
　　れー(ク)ネッ(ト)　　　　　ゲーゲン(ト)

この地域では雨がたくさん降る。

**It** <u>rains</u> a lot in this area.

② 生理現象・心理状態〔→ es は省略可能！〕*

**Es** <u>ist</u> mir kalt.　私は寒い。〔= Mir ist kalt.〕
　　　　ミア　カ(ルト)

I <u>am</u> cold.〔→ **it** は使わない！〕

③ 熟語表現

**Wenn es um Politik geht, ...**　政治の話となると…
ヴェン　　ウ(ム) ポリティー(ク)

*When it comes to politics, ...*

**3）仮主語・仮目的語として**

① 副文を受ける

**Ist es wahr, dass er Kinder hat?**　彼に子どもがいるって本当？
　　ヴァー(る) ダ(ス)　　キンダー

*Is it true that he has children?*

② zu 不定詞句（= to 不定詞句）を受ける ［→V-1「zu 不定詞」を参照］

**Ich finde es nötig, die Schule anzurufen.**
　　フィンデ　ノェーティ(ヒ) シューレ　アンツるーフェン
学校に電話するべきだと思う。

*I find it necessary to call the school.*

③ 名詞を受ける！*

**Es reisen viele Japaner in diese Gegend.**
　らイゼン フィーレ ヤパーナー　　　　ゲーゲン(ト)
この地域へ多くの日本人が来る。

［→　英語に該当表現なし］

**4）強調構文**

**Es ist die Wahrheit, die ich wissen will.**
　　　　　ヴァー(る)ハイト　　　ヴィッセン ヴィ(ル)
私が知りたいのは真実だ。

*It is the truth that I want to know.*

（ドイツ語では**関係代名詞**を使います→［Ⅳ-5「関係代名詞」を参照］。）

いかがでしょうか。「it」の意味の広がりは、ほぼ「es」の広がりと一致しています。両方の言語を知っていると、「it」だけが特殊なのではない、ということがよくわかると思います。ぜひ使いこなしてみてください！
［*）をつけた3ヵ所は、英語に対応表現がありません。ドイツ語独特の表現です。］

## 9 再帰代名詞 ―「myself は厳密に使われる」

### 例 1  【人称代名詞と形が同じ】

ドイツ語：**Ich schließe mich aus.**
イッ(ヒ)(シュ)**リーセ** ミッ(ヒ) アウ(ス)
自分を除外する。

英　　語：*I exclude **myself**.*

**解説**

「自分自身を」「自分自身のために」などと言うときに使うのが、**再帰代名詞**です。英語では「*myself*」「*yourself*」などとなり、単数人称で「*-self*」、複数人称で「*-selves*」という語尾がつきましたね。いずれも人称代名詞とは違う形でした。

ドイツ語では**1人称・2人称**の場合、**人称代名詞をそのまま**使います。見ただけでは、どちらなのか区別がつかなくなりますが、**主語と同じ人**を指している場合が再帰代名詞です。例文では、主語の「**ich**」と目的語（4格）の「**mich**」が同じ人ですね。このようなとき、「mich」は人称代名詞ではなく、「再帰代名詞」ということになります。

また、人称代名詞と同じ形を使うので、1人称・2人称ともに、単数では**3格と4格が違う形**になります。（複数人称では3格と4格は同じ形です。）

　Ich **koche mir** eine Suppe. 自分のためにスープを作る。（3格）
　イッ(ヒ) コッヘ ミア アイネ ズッペ

　*I cook soup **for myself**.*

|  | 3格 － 4格 |
|---|---|
| 1人称単数　*myself* | mir －　mich<br>ミア　　ミッ(ヒ) |
| 2人称単数　*yourself* | dir －　dich<br>ディア　ディッ(ヒ) |
| 1人称複数　*ourselves* | uns －　uns<br>ウン(ス)　ウン(ス) |
| 2人称複数　*yourselves* | euch － euch<br>オイ(ヒ)　オイ(ヒ) |

### ここが同じ！

・「自分自身」を表すための再帰代名詞がある

### ここが違う！

・ドイツ語は人称代名詞と形が同じ（1・2人称の場合）
　→「自分自身に」（3格）と「自分自身を」（4格）を使い分ける

## 例 2 【3人称は「sich」】

ドイツ語：**Sie schließt sich aus.**
　　　　　ズィー　(シュ)リー(スト)　ズィッ(ヒ)　アウ(ス)
　　　　　彼女は自分を除外する。

英　語：*She excludes herself.*

### 解説

　次に、**3人称**の再帰代名詞を見ていきましょう。こちらはとっても単純です。「sich」[ズィッ(ヒ)]の1語しかありません。単数も複数も、3格も4格も、すべて「sich」です。

1人称や2人称と違って、3人称にはたくさんの可能性がありますね。自分と相手以外はすべて、3人称で受けるからです。たとえば、

　　Sie schließt sie aus.　彼女は（別の）彼女を除外する。
　　*She excludes her.*

とすれば、目的語（4格）の「sie」は主語以外のだれかを指すことになります。この「sie」を「sich」に変えることによって、**「主語」＝「目的語」**という図式が成り立ち、「自分を」という意味を表現できるのです。

● **主語が複数**の場合、再帰代名詞が**「お互いに」**という意味になることがあります。文脈で判断することになります。

　　Sie helfen sich.　彼らは互いに助け合う。[＝相互的]
　　ヘ（ル）フェン

　　または：　　　　彼らは自分たちでなんとかする。[＝再帰的]

|  | 3格－4格 |
|---|---|
| 3人称単数　*himself*　*herself*　*itself* | sich<br>ズィッ（ヒ） |
| 3人称複数　*themselves*<br>［2人称敬称 | sich<br>sich］＊ |

＊）2人称敬称は、再帰代名詞に限り、小文字で書きます。

**ここが違う！**

・3人称は人称代名詞を使わず、どの場合でも「sich」となる

143

## 例 3 　　　　　　　　　　　　　　【前置詞＋sich】

ドイツ語：**Er sieht ein Paradies vor sich.**
エア ズィー(ト) アイン パラ**ディー**(ス)　フォア ズィッ(ヒ)
彼は目の前に楽園を見る。

英　　語：*He sees a paradise in front of **him**.*

**解説**

　再帰代名詞は 3・4 格の目的語になるほか、**前置詞と**いっしょによく使われます。この場合も原則は同じです。前置詞のあとに来るものが、**主語と同じもの**を指しています。例文では、「**vor**」（〜の前に）という前置詞のあとに「**sich**」がありますね。この場合、この「sich」と主語が同じ人になります。「自分の前に」という意味になるわけですね。

　英語では、前置詞のあとに来るものが主語と同じでも、必ずしも再帰代名詞を使うわけではないようです。例文では「*in front of **him***」となっており、「*him*」は人称代名詞ですが、意味上は主語の「*he*」と同じ人ですね。もちろん、

　　*He sees a paradise in front of **himself**.*

と言ってもいいのですが、あまり厳密に使わなくてもよいようです。

●　ドイツ語と比べて、英語の再帰代名詞がそれほど厳密に使われていない様子は、**再帰動詞**の使いかたにも表れています。詳しくは「Ⅲ-1 再帰動詞」を参照してください。

**ここが同じ！**
・前置詞と再帰代名詞をいっしょに使う

**ここが違う！**
・英語では必ずしも再帰代名詞を使う必要はない

> **ここに注意！**
>
> ● 英語の再帰代名詞は***主語を強調***することもありますが、ドイツ語の再帰代名詞には１格がないので、ドイツ語ではできません。このような場合、英語の「*self*」にあたる「**selbst**」（または「**selber**」）を使います。
>
> *I <u>can</u> <u>do</u> it **myself**.* 自分でできるよ。
> → Ich <u>kann</u> es **selber** <u>tun</u>.
> 　　　　　　　ゼ(ル)バー　トゥーン

# 10 前置詞の格支配 —「英語にもある！」

## 例 1
【1 格は使わない】

ドイツ語：**Das <u>ist</u> ein Geschenk für Ihren Sohn.**
　　　　　ダ(ス) イ(スト) アイン ゲ**シェン**(ク)　　フュア　イーれン　ゾーン
　　　　　これは息子さんへの贈り物です。

英　　語：*This <u>is</u> a present for your son.*

### 解説

　前置詞と言えば、英語では「*in*」や「*on*」「*at*」などが思い浮かびますね。ドイツ語にもたくさんの前置詞があり、英語と意味のよく似たものもあります。必ずしも 1 対 1 の対応をするわけではありませんが、英語と関連させて覚えると早いでしょう。例文にある「**für**」と「*for*」は、形も意味もよく似たペアですね。

　ところが、使いかたには少々注意が必要です。よく見ると、「**für Ihren Sohn**」となっており、「für」のあとが **1 格ではない**ようです。冠詞（ここでは所有冠詞）の語尾が「-n」ですから、男性 4 格ですね。

　英語では前置詞のあと、「*for your son*」というように、何も考えずにそのまま名詞を続けられます。英語は文中の位置で目的格かどうかが決まるので、目的格になったとしても、形が変わらないからです。

● 英語でも、*代名詞*を使えば前置詞のあとが*目的格*になります。
　× *This <u>is</u> a present for **he**.*
　○ *This <u>is</u> a present for **him**.*　これは彼への贈り物です。

> **ここが同じ！**
> ・前置詞のあとに1格（主格）は使わない

> **ここが違う！**
> ・英語では名詞が続く場合、主格と同じ形でよい
> ・ドイツ語では名詞・代名詞ともに、1格以外の形になる。

## 例2 　　　　　　　　　　　　　【格支配とは】

ドイツ語：**Das hängt von dem Wetter ab.**
　　　　　ダ(ス)　ヘン(クト)　フォン　デ(ム)　ヴェッター　アッ(プ)
それは天気次第だ。

英　語：*That depends on the weather.*

**解説**

　ドイツ語では、前置詞のあとに1格は使いません。具体的に**何格を使うのか**というと、それは前置詞ごとに決まっていて、**2格～4格**のどれかになります。これを、「**前置詞の格支配**」といいます。

　例文では、前置詞「**von**」のあとは「**dem** Wetter」となっているので、**3格**ですね。つまり、「**von**」は**3格支配**、というわけです。ちなみに、例1に出てきた「**für**」は、4格が続いたので**4格支配**ですね。

● **何格支配なのか**、ということは、辞書を見ればわかります。前置詞を辞書で調べるときは、必ず格にも気をつけるようにすると、上達が早いです！

● 前置詞のあとはさまざまな格になるわけですが、たとえば2格になるからといって、所有の意味はありません。あくまでそれぞれの格の**形**を使っているだけで、格の持つ**意味**は反映されません。混同し

第2部　名詞と格変化

ないようにしてください。

● 例文の前置詞「**von**」(〜から、〜の) は、意味上は英語の「*from*」または「*of*」にあたりますが、例文では「*on*」に対応しています。これは、動詞「abhängen」［アッ(プ)ヘンゲン］(〜次第である) が「von」という前置詞をとり、英語では「*depend on* 〜」という組み合わせになるためです。

> **ここが違う！**
> ・前置詞のあとは、2格・3格・4格のどれかになる
>   → 前置詞によって決まっている（＝前置詞の格支配）

## 例3　【3・4格支配の前置詞】

ドイツ語：**Achten Sie bitte auf das Dach!**
　　　　ア(ハ)テン　ズィー　ビッテ　アウ(フ)　ダ(ス)　ダッ(ハ)
屋根に気をつけてください。

英　語：*Pay attention **to** the roof*.

**解説**

前置詞の中には、**2つの格が使えるもの**もあります。「**3・4格支配**」のグループです。しかし、3格と4格を自由に使い分けてよいわけではなく、**意味**によってどちらの格になるかが決まっています。

3・4格支配の前置詞は、「**in**」や「**auf**」など9つだけで、すべて**場所や位置関係**を示す前置詞です。**3格**を使うと「（静止した）**場所**」、**4格**を使うと「（移動する）**方向**」を表します。

例文で確かめてみましょう。「**auf**」(〜の上に) は場所を示す場合、英語の「*on*」に対応する前置詞ですが、4格を使うと「〜の上へ」と方向を示すことになり、英語では「*onto*」の意味合いが大きくなります。

148

ここでは「auf das Dach」と **4格**が続いていますので、「**方向**」ですね。
(動詞「achten」は「auf + 4格」との組み合わせで「～に注意を払う」という意味になります。注意を払う方向、というわけですね。)

● 例文を3格で書き換えてみると、
<u>Achten</u> Sie bitte **auf dem Dach**!
アウ(フ) デ(ム) ダッ(ハ)
屋根の上では気をつけてください。
*<u>Pay</u> attention **on the roof**.*

というように、意味の違った文になってしまいます。前置詞のあとの冠詞1つで決まってしまいますので、細心の注意を払うようにしてください。

 ここが違う！ 
・3・4格支配の前置詞は、あとに続く格によって意味が異なってくる
　→　3格は「場所」、4格は「方向」

## 覚えよう!! ― 前置詞の格支配【基本】

### 1) 2格支配

statt 〜の代わりに(*in stead of*)
(シュ)タッ(ト)

trotz 〜にもかかわらず(*in spite of*)
(ト)ろッ(ツ)

während 〜の間(*during*)
ヴェーれン(ト)

wegen 〜が原因で(*because of*)
ヴェーゲン

### 2) 3格支配

aus 〜から(*from, out of*)
アウ(ス)

bei 〜のもとで(*near, at*)
バイ

mit 〜とともに(*with*)
ミッ(ト)

nach 〜のあとで(*after*)
ナー(ハ)

von 〜から、〜の(*from, of*)
フォン

zu 〜のところへ(*to*)
ツー

### 3) 4格支配

durch 〜を通って(*through*)
ドゥ(るヒ)

für 〜のために(*for*)
フュア

gegen 〜に向かって(*against*)
ゲーゲン

ohne 〜なしに(*without*)
オーネ

um 〜のまわりに(*around*)
ウ(ム)

### 4) 3・4格支配 *

an 〜のきわに(*at, on*)
アン

auf 〜の上に(*on*)
アウ(フ)

hinter 〜のうしろに(*behind*)
ヒンター

über 〜の上方に(*over*)
ウューバー

unter 〜の下に(*under*)
ウンター

vor 〜の前に(*before, in front of*)
フォア

in　～の中に(*in*)
イン

zwischen　～の間に(*between*)
(ツ)ヴィッシェン

neben　～のとなりに(*next to*)
ネーベン

\*) **3格支配の場合**の意味と、対応する英語を挙げてあります。
　［→ **4格支配**では「～へ」となり、英語には「***to***」の意味が加わります。］

- 3・4格支配の前置詞以外は、いずれも代表的なものだけを挙げてあります。
- 英語との対応は、1対1ではありません。文脈によってさまざまな訳しかたができますので、注意してください。

## 覚えよう!! ― 前置詞との融合形【応用】

### 1）定冠詞との組み合わせ

定冠詞のついた名詞が続くとき、縮めた形がよく使われます。（ただし、定冠詞に「その」という強い意味を込める場合には使われません。）

① 3 格との融合形

an + dem = **am**　　bei + dem = **beim**　　in + dem = **im**
ア(ム)　　　　　　　バイ(ム)　　　　　　　イ(ム)

von + dem = **vom**　　zu + dem = **zum**　　zu + der = **zur**
フォ(ム)　　　　　　　ツ(ム)　　　　　　　　ツア

② 4 格との融合形

an + das = **ans**　　auf + das = **aufs**　　in + das = **ins**
アン(ス)　　　　　　アウ(フス)　　　　　　イン(ス)

um + das = **ums**
ウ(ムス)

例：**Am** Abend gehe ich **ins** Konzert.　晩に私はコンサートへ行く。
　　ア(ム) アーベン(ト)　　　　イン(ス) コンツェ(る)ト

### 2）人称代名詞との組み合わせ

人称代名詞が「**物**」を指す場合、「**da＋前置詞**」という融合形が使われます。性・数にかかわらず、すべて同じ形になり、「**da**」の部分に「**その**」という意味が込められます。

①「da＋前置詞」（基本形）

**da**bei,　**da**mit,　**da**nach,　**da**von,　**da**zu　など
ダーバイ　ダーミッ(ト)　ダーナー(ハ)　ダーフォン　ダーツー

②「da＋r＋前置詞」（母音で始まる場合）

**dar**auf,　**dar**aus,　**dar**in,　**dar**um,　**dar**unter　など
ダーらウ(フ)　ダ らウ(ス)　ダーりン　ダーる(ム)　ダーるンター

例：Legen Sie die Decke **auf ihn**!
　　レーゲン ズィー ディー デッケ アウ(フ) イーン
　　彼の上に毛布を掛けてください。［＝人］

Legen Sie die Decke **darauf**!
レーゲン ズィー ディー デッケ ダーらウ(フ)
その上に毛布を掛けてください。[＝物]

### 3）疑問詞との組み合わせ

　前置詞のついた疑問文を作るとき、期待される返答が「**物**」の場合は 2)と同じ発想で、「**wo ＋前置詞**」という融合形が使われます。やはり「**wo**」の部分に「**何**」という意味が込められます。

①「wo ＋前置詞」（基本形）

　　**wo**bei,　　**wo**mit,　　**wo**nach,　　**wo**von,　　**wo**zu　　など
　　ヴォーバイ　ヴォーミッ(ト)　ヴォーナー(ハ)　ヴォーフォン　ヴォーツー

②「wo ＋ r ＋前置詞」（母音で始まる場合）

　　**wor**auf,　　**wor**aus,　　**wor**in,　　**wor**um,　　**wor**unter　　など
　　ヴォーらウ(フ)　ヴォーらウ(ス)　ヴォーりン　ヴォーる(ム)　ヴォーるンター

例：**Auf wen** soll ich die Decke legen?
　　アウ(フ) ヴェン ゾ(ル)
　　だれの上に毛布を掛けたらいいの？[＝人]

　　**Worauf** soll ich die Decke legen?
　　ヴォーらウ(フ)
　　何の上に毛布を掛けたらいいの？[＝物]

> 第2部のまとめ

### 1. 名詞の特徴
① 男性・女性・中性の区別がある
② 複数形の語尾は「-」「-e」「-er」「-en」「-s」の5種類があり、ウムラウトがついて変音するものもある
③ 4つの格があり、文中での語順は比較的自由
　（名詞自体はほとんど格変化しないため、冠詞で見分ける）
④ 名詞の格変化 … 男性2格と中性2格で「-(e)s」、複数3格で「-n」
　（男性弱変化名詞は、単数1格以外で「-(e)n」がつく）
⑤ 名詞を否定する場合は、否定冠詞「kein」を使う

### 2. 冠詞の格変化
① 定冠詞 … 性・数・格によって形が変わる
② 不定冠詞 … 一部を除き、定冠詞と格語尾が共通
　（否定冠詞「kein」や所有冠詞も同じパターンになる）

### 3. 代名詞
① 人称代名詞 … 3格と4格があり、3人称の語尾は定冠詞と同じ
　（「物」も性を区別するので注意!!）
② 再帰代名詞 … 3人称は「sich」を使う
　（1・2人称では人称代名詞と共通）

# Teil 3

(第3部)
動詞の時制と態

# 1 再帰動詞 —「英語は自由に自動詞化！」

## 例 1　　　　　　　　　　　　　　　　【sich とセットになる】

ドイツ語：**Die Geschichte wiederholt sich.**
　　　　　ディー　ゲシ(ヒ)テ　　　ヴィーダーホー(ルト)　ズィッ(ヒ)
　　　　歴史は繰り返す。

英　語：*History repeats itself.*

**解説**

　再帰代名詞の「**sich**」は、4格では「**自分自身を**」という意味になりました[→Ⅱ-9「再帰代名詞」を参照]。今度はこの再帰代名詞を使って、**再帰動詞**を作っていきます。作りかたは簡単です。主語に見合う再帰代名詞をくっつけるだけです。

　例文では、**3人称**の再帰代名詞「sich」が使われていますね。これは、この文の主語が「die Geschichte」で、3人称になっているからです。

● 再帰動詞は、つねに**再帰代名詞とセット**で使われます。セットになって初めて、再帰動詞としての意味が生まれます。
　⇒　辞書ではまず動詞を引き、その中から再帰動詞の項目をさがしてください。

● 英語でも、例文のように再帰代名詞とセットになる動詞はありますが、数は少なく、再帰代名詞が省略可能な動詞もあります。

　　Ich fühle mich einsam.
　　　　フューレ　アインザー(ム)
　　私はさびしい。(＝自分を孤独だと感じる)
　　*I feel (myself) lonely.*

> ここが同じ！
> ・再帰代名詞とセットで使う動詞がある

> ここが違う！
> ・ドイツ語では再帰代名詞は省略できない

## 例 2 　【他動詞が自動詞になる】

ドイツ語：**Die Tür bewegt sich langsam.**
ディー テュア ベヴェー(クト) ズィッ(ヒ) ラン(グ)ザー(ム)
ドアはゆっくり動く。

英　　語：*The door moves slowly.*

**解説**

　次に、**なぜ「sich」をつけるのか**を考えてみましょう。これはずばり、**他動詞を自動詞として使うため**です。具体例でじっくり見ていきましょう。

　例文では、「**bewegen**」［ベヴェーゲン］という動詞が再帰動詞として使われています。この動詞は、辞書を見ると「**他動詞：動かす**」となっています。これに「sich」をつけると、「**自分自身を動かす**」となりますね。ここまでは、足し算です。そして、「自分が自分を動かす」とはどういうことなのかを考えると、これはつまり、「**自分が動く**」ということなのです。これで、他動詞を**自動詞に変換**できた、というわけです。

● 英語の「*move*」には、「他動詞：動かす」と「自動詞：動く」の両方の意味があります。そのため、再帰代名詞を添える必要がありません。

● 前項の例 1 では、「自分自身を繰り返す」（他動詞）⇒「繰り返される」

（自動詞）と解釈することができます。

● 他動詞としては使われず、**つねに再帰動詞**となる動詞もあります。（他動詞としての意味が薄れてしまったため、と考えることができます。）

Die Kasse befindet sich dort.
カッセ　ベフィンデッ(ト)　ド(る)ト

レジはあちらです。（sich befinden 存在する）

【ここが違う！】
・英語では、他動詞にも自動詞にも使える動詞が多い
・ドイツ語では、他動詞を自動詞にするのに「sich」が必要

【ポイント：簡素化のしくみ】
他動詞に再帰代名詞をつけて自動詞にする（ドイツ語）
⇒　再帰代名詞を省略する（英語）→　他動詞がそのまま自動詞になる

## 例 3　　【sich が 3 格の場合】

ドイツ語：**Ich stelle mir meine Zukunft vor.**
イッ(ヒ)　(シュ)テレ　ミア　マイネ　ツークン(フト)　フォア

自分の将来を想像する。

英　　語：*I imagine my future.*

【解説】

ところで、「sich」は **3 格**になることもあります。直訳すれば、「**自分自身に**」ということですね。例文では、「**vorstellen**」[フォア(シュ)テレン] という分離動詞に「**mir**」という 3 格の再帰代名詞が添えられています。

ここで、この「vorstellen」という動詞を辞書で調べてみましょう。「**他動詞：前へ置く**」という意味のほかに、再帰動詞が 2 種類作れること

がわかると思います。1つは**「sich」が4格**で、「自分を前に置く」=**「自己紹介する」**という意味。そしてもう1つが**「sich」が3格**になり、「自分に対して前に置く」=**「思い浮かべる」**となる場合です。例文では後者、というわけですね。

- 3人称の「sich」のほか、1人称・2人称でも複数形は3格と4格の区別がつきません。このような場合、**ほかに4格があるか**、ということが目安になります。

    Wir stellen **uns** vor.　　私たちは自己紹介をする。
    　→「uns」のほかに4格がない　⇒「uns」は**4格**

    Wir stellen **uns** unsere Zukunft vor.　　自分たちの将来を想像する。
    　→「unsere Zukunft」が4格　⇒「uns」は**3格**

- 「sich」が何格か、ということは辞書に書いてあります。「sich」の右肩に「3」とあれば3格、「4」とあれば4格です。(辞書によっては、4格の場合の「4」を省略していることもあります。)

> **ここが違う！**
> ・再帰代名詞が3格のこともある
> 　(その場合、ほかに4格が文中にある)

## 覚えよう!! ― 再帰動詞の現在形【基本】

　主語に見合う再帰代名詞を添えるだけなので、考えかたは簡単なのですが、動詞と代名詞を同時に変化させなくてはいけないので、慣れておきましょう。

### 1) sich が4格のとき

　　　　　　　sich vorstellen 自己紹介をする
　　　　　単数人称　　　　　　　　複数人称
1人称　　ich stelle **mich** ... vor　　wir stellen **uns** ... vor
2人称　　du stellst **dich** ... vor　　ihr stellt **euch** ... vor
3人称　　er stellt **sich** ... vor　　　sie stellen **sich** ... vor
　　　　（sie stellt **sich** ... vor）　［Sie stellen **sich** ... vor］
　　　　（es stellt **sich** ... vor）

### 2) sich が3格のとき

　　　　　　　sich vorstellen 想像する
　　　　　単数人称　　　　　　　　複数人称
1人称　　ich stelle **mir** ... vor　　wir stellen **uns** ... vor
2人称　　du stellst **dir** ... vor　　ihr stellt **euch** ... vor
3人称　　er stellt **sich** ... vor　　sie stellen **sich** ... vor
　　　　（sie stellt **sich** ... vor）　［Sie stellen **sich** ... vor］
　　　　（es stellt **sich** ... vor）

● **再帰代名詞の位置**は、動詞の直後が基本ですが、ワク構造をとるときなどに、動詞から遠く離れることもあります。（再帰代名詞は軽いので、**なるべく先に言う傾向があるからです。**）
　　Ich kann mir meine Zukunft vorstellen.
　　私は自分の将来を想像できる。

> **コラム**

### 〔英語が見えてくる！〕自動詞と他動詞

　英語には、自動詞にも他動詞にも使える動詞が多く、そのため再帰動詞にする必要がないことを学びました。これは、もともとドイツ語で必要だった再帰代名詞を省略したことで、英語が簡素化した結果だといえるでしょう。
　そこで、自動詞と他動詞の違いを確認し、英語とドイツ語を比較してみましょう。

**1）英語の自動詞**

　自動詞とは、**目的語がいらない動詞**のことです。文型としては、$S+V$ か $S+V+C$ のどちらかになります。（「$C$」は補語なので、目的語ではありません。）

　　*The door moves slowly.* 　ドアはゆっくり動く。［$= S+V$］
　　　　　　　　　　　　　　　（「*slowly*」は副詞）
　　*I feel lonely.* 　私はさびしい。［$= S+V+C$］（「*lonely*」は形容詞の**補語**）

**2）英語の他動詞**

　自動詞は目的語を持たず、それだけで自立して使えましたが、他動詞には**目的語が必要**です。目的語がないと、文として成立しません。文型は $S+V+O$ が基本となりますが、$S+V+O+O$ または $S+V+O+C$ の文型をとることもあります。（*直接目的語*「$O$」が入っていることが前提になります。）

　　*I imagine my future.* 　自分の将来を想像する。［$= S+V+O$］
　　*He gives me a card.* 　彼は私にカードをくれる。［$= S+V+O+O$］
　　　　　　　　（「*me*」が**間接目的語**、「*a card*」が**直接目的語**）
　　*He leaves the door open.* 　彼はドアを開けたままにする。［$= S+V+O+C$］
　　　　　　　　（「*the door*」が**目的語**、「open」が形容詞の**補語**で、
　　　　　　　　「$O = C$」の関係が成り立ちます。）

**3）ドイツ語の自動詞**

　英語と同じく、**目的語のいらない動詞**のほか、**2格や3格を目的語にとる動詞**も自動詞といいます。

Ich gehe zur Arbeit.　私は仕事へ行く。
　　ゲーエ　ツア　ア(る)バイ(ト)
　　*I go to work.* [ = *S* + *V* ]

Ich bin fleißig.　私は勤勉だ。
　　　(フ)ライスィ(ヒ)
　　*I am diligent.* [ = *S* + *V* + *C* ]

Meine Kollegen helfen mir.　同僚たちが私を助けてくれる。
マイネ　コレーゲン　ヘ(ル)フェン ミア
　　*My colleagues help me.* [ = *S* + *V* + *O* ] *

*）英語では「*me*」が目的語になるため、動詞「*help*」は他動詞ですが、ドイツ語では「mir」が**3格**のため、目的語とは見なされず、動詞「helfen」は**自動詞**になります。

## 4）ドイツ語の他動詞

　英語では、***目的語を伴う***ものを他動詞といいましたが、ドイツ語では、**4格の目的語を伴うものだけを他動詞**といいます。2格や3格の目的語をとる動詞は他動詞ではありません。自動詞になります。

Ich sehe **meine Zukunft**.　私は自分の将来が見える。
　　ゼーエ　　　　ツークン(フト)
　　*I see my future.* [ = *S* + *V* + *O* ]

Er gibt mir **eine Karte**.　彼は私にカードをくれる。
　　ギ(プト)　　　　カ(る)テ
　　*He gives me a card.* [ = *S* + *V* + *O* + *O* ]

Er lässt **die Tür** offen.　彼はドアを開けたままにする。
　　レ(スト)　　テュア　オッフェン
　　*He leaves the door open.* [ = *S* + *V* + *O* + *C* ]

　いかがでしたでしょうか？　ドイツ語はあくまで「何格か」という問題にこだわる言語だ、ということがよくわかりますね。そして、自動詞と他動詞に加えて、**再帰動詞**という3つ目の種類が存在するのも、ドイツ語の特徴です。非常に理屈っぽい言語なのですね。

# 2 過去形 —「-ed が -te になる」

### 例 1 【語幹に「-te」をつける】

ドイツ語：**Er merkte es und lachte.**
エア メ(る ク)テ エ(ス) ウン(ト) ラ(ハ)テ
彼はそれに気づいて笑った。

英　語：*He noticed it and laughed.*

**解説**

英語の過去形は、***原形に*「-ed」**をつけて作ります。例文でも、
　*notice* 気づく　→　*noticed* 気づいた
　*laugh* 笑う　→　*laughed* 笑った
となっていますね。（「*notice*」は「*-e*」で終わるため、加えるのは「*-d*」だけです。）

ドイツ語では、**過去形には「-te」**がつきます。英語の「*-ed*」が逆さまになったような形ですね。ただし、ドイツ語の場合は原形ではなく、**動詞の語幹に「-te」**をつけることになります。
　merken 気づく　→ merk（語幹）→　merkte 気づいた
　lachen 笑う　→　lach（語幹）→　lachte 笑った

● 動詞の語幹に「-te」をつけた形を、**過去基本形**といいます。これに、人称ごとの活用語尾がつくからです。
　（活用語尾については、次項を参照してください。）

> ここが同じ！
・過去形の語尾（-ed / -te）がある

> ここが違う！
・英語は*原形*に、ドイツ語は**動詞の語幹**に過去形の語尾をつける

---

### 例 2 【過去基本形に活用語尾がつく】

ドイツ語：**Wir merkten es und lachten.**
ヴィア メ(ルク)テン エ(ス) ウン(ト) ラ(ハ)テン
私たちはそれに気づいて笑った。

英　語：*We noticed it and laughed.*

**解説**

さて、英語の過去形はどの人称にも使えます。つまり、**主語が変わっても過去形は変わらない**、ということです。現在形ではいわゆる3単現に「-s」がつき、人称変化の名残が見られましたが、過去形になると、それすら消えてしまうのです。

ドイツ語の過去形は、**人称ごとに活用語尾**がつきます。例文では主語が「wir」なので、「merkte」という過去基本形に「**-n**」という語尾がついていますね。

● 過去形の人称語尾は、次のようになっています。

|  | 単数人称 | 複数人称 |
| --- | --- | --- |
| 1人称 | ich merkte | wir merkte-**n** |
| 2人称 | du merkte-**st** | ihr merkte-**t** |
| 3人称 | er merkte | sie merkte-**n** |
|  | （sie merkte） | ［Sie merkte-**n**］ |
|  | （es merkte） |  |

⇒ ① すべての人称で「**-te**」が入り込んでいます。
② 1人称単数と3人称単数は、過去基本形をそのまま使います。
（＝活用語尾がつきません。）
③ それ以外の人称では、現在形と同じ活用語尾がつきます。

**ここが違う！**
・英語の過去形は人称変化を起こさない
・ドイツ語の過去形には人称変化の語尾がつく

**ポイント：簡素化のしくみ**
ドイツ語は過去形にも人称語尾がつく
　→　英語は人称語尾を省略　→　すべての人称で過去形が変わらない

---

## 例 3 　　　　　　　　　　　　　　　　　　　　【不規則動詞の場合】

ドイツ語：**Sie stand auf und sah sich um.**
　　　　　ズィー（シュ）タン（ト）アゥ（フ）ウン（ト）ザー　ズィッ（ヒ）ゥ（ム）
　　　　彼女は立ち上がり、辺りを見回した。

英　語：*She stood up and looked around.*

**解説**

英語には、**不規則動詞**もありました。不規則動詞になると、過去形が「-ed」ではなく、原形とはまったく別の形になってしまうのでしたね。例文では、

　　*stand* 立つ　→　***stood*** 立った

が、これにあたります。

ドイツ語でも、不規則動詞の過去形は**語幹が変わり**ます。

　　stehen 立つ　→　**stand** 立った
　　sehen 見る　→　**sah** 見た

のようになるのです。そしてもちろん（！）、これに人称ごとの活用語尾がつきます。

● 不規則動詞の場合、過去形の人称語尾は次のようになります。

|  | 単数人称 | 複数人称 |
|---|---|---|
| 1人称 | ich sah | wir sah-**en**\* |
| 2人称 | du sah-**st** | ihr sah-**t** |
| 3人称 | er sah | sie sah-**en**\* |

⇒ 規則動詞の場合と、基本は同じです。過去形が子音で終わる場合、＊の人称で「-en」という語尾になります。（また、発音しやすくするため、「du stand-est」などのように、間に「e」を入れることがあります。）

● 分離動詞や再帰動詞になっても、現在形の場合と語順は変わりません。

 Sie steht auf und sieht sich um.　［現在形］
 →　Sie **stand** auf und **sah** sich um.　［過去形］

● 動詞「stehen」の場合、英語の現在形「*stand*」が過去形になっています。このような例はまれですが、英語とドイツ語の近さを感じさせますね。

### ここが同じ！
・不規則動詞の過去形は、語幹が変わる

### ここが違う！
・ドイツ語は不規則動詞の過去形にも人称変化の語尾がつく

## 覚えよう!! ― 重要動詞の過去形【基本】

**1) sein →** 過去基本形は「**war**」[ヴァー(る)]

|  | 単数人称 | 複数人称 |
|---|---|---|
| 1人称 | ich war | wir waren |
| 2人称 | du warst | ihr wart |
| 3人称 | er war | sie waren |

**2) haben →** 過去基本形は「**hatte**」[ハッテ]

|  | 単数人称 | 複数人称 |
|---|---|---|
| 1人称 | ich hatte | wir hatten |
| 2人称 | du hattest | ihr hattet |
| 3人称 | er hatte | sie hatten |

**3) werden →** 過去基本形は「**wurde**」[ヴ(る)デ]

|  | 単数人称 | 複数人称 |
|---|---|---|
| 1人称 | ich wurde | wir wurden |
| 2人称 | du wurdest | ihr wurdet |
| 3人称 | er wurde | sie wurden |

# 3 過去分詞 ―「過去形とは違う形になる」

### 例 1 　　　　　　　　　【語幹に「ge＿＿t」をつける】

ドイツ語：**merken** 気づく　→　**ge**merk**t**
　　　　　メ(る)ケン　　　　　　　ゲメ(るクト)

英　　語：*notice*　　　　　　→　*notice**d***

**解説**

　英語の***過去分詞***は、***過去形と同じ形***になるものが多くありました。例のように、

　　*notice* 気づく　→　*noticed* [過去形]　→　*noticed* [過去分詞]

となるのでしたね。

　ドイツ語では、過去分詞は**過去形と違う形**になります。やはり**動詞の語幹**を使うのですが、今度は前後を「**ge-**」と「**-t**」で挟みます。つまり、語幹が間に入り込んでしまうのです。

　　merken 気づく　→　merk（語幹）→　**ge**merk**t** [過去分詞]
　　lachen 笑う　→　lach（語幹）→　**ge**lach**t** [過去分詞]
　　　　　　　　　　　　　　　　　　ゲラ(ハ)ト

● 語幹の前に出る「**ge-**」[ゲ] が、過去分詞の目印になります。（ただし、「ge-」が途中に入るもの [分離動詞] や、「ge-」がつかないもの [→例3] もあります。）

● **分離動詞**では、分離の**前綴り**が「**ge-**」**よりも前**に出ます。

anmerken → an + **ge-** + merk + **-t** → an**ge**merk**t**
見て取る アンゲメ( るクト)

auslachen → aus + **ge-** + lach + **-t** → aus**ge**lach**t**
笑い飛ばす アウ(ス)ゲラ(ハ)ト

**ここが同じ！**
・過去分詞がある

**ここが違う！**
・英語は過去形と同じものが多い
・ドイツ語は過去形と違う形になる

## 例 2　【不規則動詞は「ge___n」となる】

ドイツ語：**stehen** 立っている → **gestanden**
　　　　　(シュ)テーエン　　　　　　　ゲ(シュ)タンデン
英　語：*stand* → *stood*

**解説**

次は、**不規則動詞**の場合を見ていきましょう。過去形と同じように、不規則動詞では**語幹の部分が変化**してしまいます。例では、「stehen → × ge**steh**t」とならずに、「stehen → ge**stand**en」となっていますね。そしてよく見ると、始まりは「**ge-**」で同じですが、最後は「**-n**」で終わっています。

語幹がどのように変化するかは、動詞によって違います。いくつかのパターンを見てみましょう。

　　　stehen 立っている → ge**stand**en（過去形「stand」と同形）

第3部　動詞の時制と態

gehen 行く → **gegangen**（過去形「ging」とも違う形）
　　　　　　　　　　ゲガンゲン

　　　sehen 見る → **gesehen**（語幹は変化しないが「-n」で終わる）
　　　　　　　　　　ゲゼーエン

　　　bringen 持っていく → **gebracht**
　　　　　　　　　　　　　ゲ(ブ)ら(ハト)
　　　　　　　　（語幹は変化するが「-t」で終わる）*

　　*)「-t」で終わるため、**混合変化**とよばれています。

● 不規則動詞の過去分詞は、不定形の語幹や過去形と同じ形になるものも、まったく違う形になるものもあり、さまざまです。慣れてくると、ある程度の法則性は見えてきますが、初めのうちは1つずつ覚えるようにしてください。

● 不規則動詞の場合でも、**分離動詞**の前綴りは「ge-」よりも前に出ます。
　　aufstehen 起きる → auf + **ge**standen → **auf**gestanden
　　　　　　　　　　　　　　　　　　　　　　　アウ(フ)ゲ(シュ)タンデン

● 英語でも、不規則動詞の過去分詞はパターンがいくつかあるようです。
　　*stand* 立つ → *stood*（過去形と同形）
　　*go* 行く → *gone*（過去形「*went*」とも違う形）
　　*see* 見る → *seen*（原形と音が同じ）
　　*bring* 持っていく → *brought*（過去形と同形）

　ここが同じ！
　・不規則動詞の過去分詞は、語幹が変わる
　　（過去形と同じ場合もある）

## 例 3 【「ge-」がつかない場合】

ドイツ語：**verstehen** 理解する → **verstanden**
　　　　　フェア(シュ)**テー**エン　　　　　　フェア(シュ)**タン**デン

英　語：*understand* → *understood*

**解説**

最後に、**「ge-」がつかない過去分詞**を見ていきましょう。**非分離動詞**とよばれる動詞のグループがこれにあたります。

分離動詞では、動詞の前綴りが分離することにより、文中でワク構造を作ったり、過去分詞でも「ge-」が間に割り込んだりしましたが、非分離動詞では、**前綴りが分離しません**。そのため、「ge-」が入り込む余地がなくなってしまいます。例では、

　　verstehen → ver + gestanden → × vergestanden

とはならずに、「verstanden」となってしまうのです。

● 分離動詞も非分離動詞も、動詞の前に前綴りがついていることに変わりはありませんが、その前綴りが分離するかどうかで、文中での使いかたが大きく違ってきます。下の例で確認してください。

|  | 分離動詞 | 非分離動詞 |
| --- | --- | --- |
| 不定形 | aufstehen 起きる<br>ア**ウ**(フ)(シュ)**テー**エン | verstehen 理解する<br>フェア(シュ)**テー**エン |
| 現在形 | ich stehe auf | ich verstehe |
| 過去形 | ich stand auf | ich verstand |
| 過去分詞 | aufgestanden | verstanden |

● 非分離動詞の前綴りには、「ver-」や「er-」「ent-」などがあります。いずれもアクセントはつきません。(分離動詞の前綴りには、アクセントがつきます。)

もう1つ、「-ieren」で終わる動詞グループも、過去分詞に「ge-」がつきません。規則動詞にならって、語幹に「-t」をつけるだけになります。

probieren 試す　→　probiert　　（× **ge**probiert）
（プ）ろビーれン　　　　（プ）ろビー(る)ト

## 覚えよう!! ― 動詞の３基本形【基本】

　動詞の**不定形**、**過去基本形**、**過去分詞**をあわせて、**動詞の３基本形**といいます。英語と同じように、基本的な動詞ほど、変化は不規則になります。コツコツと覚えていくようにしましょう。

● **重要動詞**　⇒この**３**つをまず覚えてください！

　　sein – war – gewesen （= *be*）
　　ザイン　ヴァー(る)　ゲヴェーゼン

　　haben – hatte – gehabt （= *have*）
　　ハーベン　ハッテ　ゲハ(プト)

　　werden – wurde – geworden （= *become*）
　　ヴェ(る)デン　ヴ(る)デ　ゲヴォ(る)デン

**1）規則変化動詞** … 過去基本形は「**-te**」、過去分詞は「**ge ___ t**」

　　hören – hörte – gehört　聞く（= *hear*）
　　ホェーれン　ホェー(る)テ　ゲホェー(るト)

　　lernen – lernte – gelernt　学ぶ（= *learn*）　など
　　レ(る)ネン　レ(る)ンテ　ゲレ(る)ン(ト)

**2）混合変化動詞** … 語幹が変わるが「**-te**」と「**ge ___ t**」がつく

　　bringen – brachte – gebracht　持っていく（= *bring*）
　　(ブ)リンゲン　(ブ)ら(ハ)テ　ゲ(ブ)ら(ハト)

　　denken – dachte – gedacht　考える（= *think*）
　　デンケン　ダ(ハ)テ　ゲダ(ハト)

　　wissen – wusste – gewusst　知っている（= *know*）　など
　　ヴィッセン　ヴ(ス)テ　ゲヴ(スト)

**3）不規則変化動詞** … 語幹が変わり、過去分詞が「**ge ___ n**」になる

　　fahren – fuhr – gefahren　乗り物に乗る（= *drive*）
　　ファーれン　フーア　ゲファーれン

finden – fand – **ge**funde**n**　見つける（= *find*）
フィンデン　ファン(ト)　ゲフンデン

geben – gab – **ge**geben　与える（= *give*）
ゲーベン　ガー(プ)　ゲ**ゲー**ベン

gehen – ging – **ge**gange**n**　行く（= *go*）
ゲーエン　ギン(ク)　ゲ**ガン**ゲン

kommen – kam – **ge**komme**n**　来る（= *come*）
コンメン　カー(ム)　ゲ**コン**メン

nehmen – nahm – **ge**nomme**n**　取る（= *take*）
ネーメン　ナー(ム)　ゲ**ノン**メン

schreiben – schrieb – **ge**schrieben　書く（= *write*）
(シュ)ら**イ**ベン　(シュ)**リー**プ　ゲ(シュ)**リー**ベン

stehen – stand – **ge**standen　立っている（= *stand*）　　など
(シュ)**テー**エン　(シュ)**タン**(ト)　ゲ(シュ)**タン**デン


※分離動詞は、分離の前綴りが前に出ます。
※非分離動詞は、過去分詞に「ge-」がつきません。
※「-ieren」で終わる動詞も、過去分詞に「ge-」がつきません。

> コラム

## 〔英語が見えてくる！〕不規則動詞が似ている？

　英語の学習で、**不規則動詞の形**に悩まされた人は多いことでしょう。本文でも取り上げましたが、**原形と過去形と過去分詞がすべて違う**もの、**過去形と過去分詞が同じ**もの、あるいは**原形と過去分詞が同じ**もの、といったように、さまざまなパターンがありましたね。

　ドイツ語でもたくさん覚えなくてはいけないのか…、とため息をついている人に、朗報があります。ドイツ語の不規則動詞と、**変化がよく似ている**ものが多いのです！　ここではいくつかのパターンを紹介し、ドイツ語と比較してみたいと思います。

### 1）A－B－Cのパターン

　**原形と過去形と過去分詞がすべて違う**動詞です。**母音の変化**のしかたがドイツ語と一致したり、**過去分詞**が「**-n**」で終わったり、ドイツ語との類似点が目立つグループです。（やはり兄弟語なのですね！）

　　　　英　語　　　　　　　　　　ドイツ語

*begin – began – begun* 始める　　beginnen – begann – begonnen
　　　　　　　　　　　　　　　　ベギンネン　　ベガン　　ベゴンネン

*drink – drank – drunk* 飲む　　　trinken – trank – getrunken
　　　　　　　　　　　　　　　　(ト)リンケン (ト)らン(ク) ゲ(ト)るンケン

*sing – sang – sung* 歌う　　　　singen – sang – gesungen　など
　　　　　　　　　　　　　　　　ズィンゲン　ザン(ク)　ゲズンゲン

### 2）A－B－Bのパターン

　**過去形と過去分詞が同じ**動詞です。ドイツ語では**混合変化**（＊をつけたもの）にあたることが多いようです。語幹が変わるのに**語末に**「**t**」を使うところも、「**-ght**」という語尾も、ドイツ語によく似ていますね。

*bring – brought – brought*　　bringen – brachte – gebracht＊
持っていく　　　　　　　　　　(ブ)リンゲン (ブ)ら(ハ)テ ゲ(ブ)ら(ハト)

*find – found – found*　　　　　finden – fand – gefunden
見つける　　　　　　　　　　　フィンデン　ファン(ト)　ゲフンデン

*sit – sat – sat* 座っている　　sitzen – saß – gesessen
　　　　　　　　　　　　　　　ズィッツェン ザー(ス) ゲゼッセン

175

*think – thought – thought*　　denken – dachte – gedacht * など
考える　　　　　　　　　　　　デンケン　　ダ(ハ)テ　　ゲダ(ハト)

### 3) A－B－A、またはA－B－A'のパターン

*過去分詞が原形と同じ*（＝A）、あるいは原形と*音が同じ*（＝A'）動詞です。過去形だけが変化するパターンですね。

*come – came – come*　来る　　kommen – kam – gekommen
　　　　　　　　　　　　　　　コンメン　　カー(ム)　ゲコンメン

*eat – ate – eaten*　食べる　　essen – aß – gegessen
　　　　　　　　　　　　　　　エッセン　アー(ス)　ゲゲッセン

*fall – fell – fallen*　落ちる　　fallen – fiel – gefallen
　　　　　　　　　　　　　　　ファレン　フィー(ル)　ゲファレン

*give – gave – given*　与える　geben – gab – gegeben
　　　　　　　　　　　　　　　ゲーベン　　ガー(プ)　ゲゲーベン

*see – saw – seen*　見る　　　sehen – sah – gesehen　など
　　　　　　　　　　　　　　　ゼーエン　　ザー　　　ゲゼーエン

### 4) A－A－Aのパターン

*原形と過去形と過去分詞がすべて同じ*動詞です。ドイツ語では、対応する動詞は**規則動詞**になるものが多いようです。語幹が変化しないからでしょう。

*bet – bet – bet*　賭ける　　　wetten – wette**te** – **ge**wette**t**
　　　　　　　　　　　　　　　ヴェッテン　ヴェッテテ　ゲヴェッテッ(ト)

*cost – cost – cost*　〜の値段である　kosten – koste**te** – **ge**koste**t**
　　　　　　　　　　　　　　　コ(ス)テン　コ(ス)テテ　ゲコ(ス)テッ(ト)

*set – set – set*　置く　　　　setzen – setz**te** – **ge**setz**t**　など
　　　　　　　　　　　　　　　ゼッツェン　ゼ(ツ)テ　ゲゼ(ツト)

● ここでは、語形が似ていて意味も同じものだけを選びました。対応のしかたは、ここに挙げたものがすべてではありません。1つずつ確かめながら、楽しんで覚えていってください！

# 4 現在完了形 —「形は同じで用法が違う」

### 例 1 【「haben +過去分詞」となる】

ドイツ語：**Sie haben die Stadt verlassen.**
ズィー **ハーベン** ディー (シュ)タッ(ト) フェア**ラッセン**
彼らは町を去ってしまった。

英　　語：*They have left the city.*

**解説**

　過去分詞の形がわかったところで、完了形を作ってみましょう。まずは**現在完了形**です。英語は「*have +過去分詞*」となりましたね。ドイツ語でも基本的には同じで、「**haben +過去分詞**」となります。

　例文を比べてみましょう。英語では「*have left*」となっており、「*left*」の部分が過去分詞ですね。ドイツ語では「**haben ... verlassen**」となっていて、文末にある「verlassen」が過去分詞となります。

　このように、基本的な作りかたは同じなのですが、**文中での配置**が異なります。英語では「*have +過去分詞*」が原則として離れないのに対して、ドイツ語では「haben +過去分詞」が文中で離れ、**ワク構造**を作ります。例文でも、「die Stadt」という目的語が間に入っていますね。

● ワク構造というのは、**動詞と結びつきの強い語が文末に行ってしまう**現象でしたね。ここではもちろん、「**haben**」（＝ここでは助動詞）と文末の**過去分詞**が強く結びついて、完了形を作っているのです。

● 動詞「verlassen」は**非分離動詞**です。「lassen」の過去分詞は「gelassen」ですが、非分離動詞に「ge-」はつかないので、過去分

177

詞は「verlassen」となります。このように、非分離動詞では**不定形と過去分詞が同じ**になることがあります。

> ここが同じ！
・現在完了形は、「haben / *have* ＋ 過去分詞」

> ここが違う！
・ドイツ語はワク構造を作る

### 例 2　　　　　　　　　　【「sein ＋過去分詞」の場合もある】

ドイツ語：**Wir sind zu Fuß gekommen.**
ヴィア ズィン(ト) ツー フー(ス) ゲコンメン
私たちは歩いてきました。

英　　語：*We have come on foot.*

解説

　ドイツ語の現在完了形は、ワク構造を作る以外にもう1つ、英語の現在完了形との違いがあります。英語では、過去分詞と組み合わせるのに「*have*」だけを使っていればよかったのですが、ドイツ語では「haben」だけでなく、「**sein**」も使います。英語でいえば、「*be* ＋過去分詞」も完了形になってしまう、という感覚ですね。

　例文で確認してみましょう。英語では「*have come*」となっており、例1と同じように「*have*」が使われていますが、ドイツ語では「**sind … gekommen**」となり、助動詞に「sind」（＝不定形は sein）を使っているのがわかりますね。

　完了形に「sein」を使う動詞は、多くありません。「kommen」（来る）のように、**場所の移動**などを表す**自動詞**に限られます。辞書を引くと、見出しのあとに **(s)** などと書かれているので、いつも気にかけるよう

にしてください。

● 完了形で「sein」を使う動詞は、主に次の3種類です。
　① **場所の移動**を表すもの…kommen（来る）、gehen（行く）、fahren（乗り物で行く）、fliegen（飛ぶ）　など
　② **状態の変化**を表すもの…aufstehen（起きる、立ち上がる）、einschlafen（寝入る）、sterben（死ぬ）、werden（〜になる）　など
　③ その他…bleiben（とどまる）、sein（〜である）　など
　⇒　いずれも、**自動詞**として使う場合に限ります。

**ここが違う！**
・英語の完了形は常に「*have*」を使う
・ドイツ語では「sein」を使う場合もある

## 例 3　　　　　　　　　　　　【過去形の代わりになる】

ドイツ語：**Sie haben gestern die Stadt verlassen.**
　　　　　ズィー　ハーベン　ゲ(ス)タン　ディー　(シュ)タッ(ト)　フェアラッセン
彼らは昨日、町を去った。

英　語：*They left the city yesterday.*

**解説**

　さて、ドイツ語と英語では、現在完了形の表す**意味**も違ってきます。英語の場合は「*現在*」に*焦点*が置かれ、「***過去のできごとが現在に影響を及ぼしている***」ことが、その発想の出発点でしたね。たとえば*例1*では、「彼らは町を去ってしまった」（=***過去のできごと***）ので、その結果として「今その町にいない」（=***現在への影響***）ことを言いたいための現在完了形であり、*例2*では、「歩いてきた」（=***過去のできごと***）ため、「車

は家にある」（＝*現在への影響*）、「足が疲れている」（＝*現在への影響*）などということを言外に含んでいるわけです。

　ところがドイツ語では、**「完了」に焦点が**あります。つまり現在完了形は、**「過去のできごとが終わっていて、現在はもう続いていない」**ことを示しているのです。（こちらのほうが、日本語の感覚に近いかもしれませんね。）**例1**では単に「町を去っていった」ことを、**例2**では「歩いてきた」ことを伝えているだけなので、**過去形に置き換えても何の問題もありません**。そして、例文にあるように、**過去を表す副詞**を添えても間違いではないのです。

　Sie haben die Stadt verlassen. = Sie verließen die Stadt.［過去形］
　　　　　　　　　　　　　　　　　　　フェアリーセン

　Wir sind zu Fuß gekommen. = Wir kamen zu Fuß.［過去形］
　　　　　　　　　　　　　　　　　カーメン


● 英語では、*過去を表す副詞*を現在完了形といっしょに使うことは***禁止***されていましたね。これはあくまで、現在完了形の焦点が「現在」にあるからです。
　　× *They have left the city yesterday*.
　　○ Sie haben gestern die Stadt verlassen.

● ドイツ語では、同じ文を過去形で言っても現在完了形で言っても、意味に違いは生まれません。**話す**ときは**現在完了形**、かしこまった**文章**を書くときは**過去形**になることが多いようです。


　**ここが違う！**
　・英語は「*現在*」に、ドイツ語は「*完了*」に焦点がある
　　→　ドイツ語では**過去形の代わりに使える**

> コラム

## 〔英語が見えてくる！〕英語の現在完了形

　英語の現在完了形は、*完了・継続・経験*などさまざまな用法がありましたね。本文で見たように、英語の現在完了形とドイツ語の現在完了形は**意味が一致しない**ので、英語の現在完了形をすべて、ドイツ語の現在完了形で表せるわけではありません。両者の微妙なずれを、ここで見ていきたいと思います。

### 1) 動作の完了　⇒　現在完了形　または　過去形

　本文で見た例 1 と例 2 は、動作の完了にあたります。**過去に完了した動作**なので、ドイツ語では**現在完了形**でもいいし、**過去形**でも表せます。

　　*They have left the city.*
　　　⇒　Sie haben die Stadt verlassen.［現在完了形］
　　　または　Sie verließen die Stadt.［過去形］

● ただし、**今まさに完了した動作**に関しては、**現在完了形**を使います。
　*They have just left the city.*　彼らはちょうど町を去ったところだ。
　　　⇒　Sie haben **gerade** die Stadt verlassen.［現在完了形］
　　　　　　　　　　ゲラーデ

### 2) 状態の継続　⇒　現在形

　*過去から現在にいたるまで、ずっとその状態を継続*していることを表すとき、英語では*現在完了形*になります。まさに、「*過去のできごとが現在に影響を及ぼしている*」わけですね。ところがドイツ語では、「*現在も継続している*」と考えるので、**現在形**で表すことになります。

　*I have lived here for five years.*　5 年ここに住んでいます。
　　　⇒　Ich wohne hier seit fünf Jahren.［現在形］
　　　　　ヴォーネ　ヒーア　ザイ(ト)　フュン(フ)　ヤーれン

● 動作の継続は、*現在完了進行形*を使いましたが、ドイツ語に進行形はないので、やはり**現在形**で表すことになります。
　*I have been waiting here for two hours.*
　2 時間もここで待っているんだよ。

⇒　Ich <u>warte</u> hier seit zwei Stunden.［現在形］
　　　ヴァ(る)テ　　　ザイ(ト)(ツ)ヴァイ(シュ)**トゥン**デン

**3）経験　⇒　現在完了形　または　過去形**

「*過去に〜したことがある*」という*経験*は、現在にも影響を及ぼしていると考えて、英語では*現在完了形*で表します。ドイツ語では、経験したことは**「過去に完了した」**ととらえるので、**過去形か現在完了形**になります。

　　*I <u>have</u> <u>been</u> there twice.*　２回そこに行ったことがある。
　　⇒　Ich <u>war</u> dort zweimal.［過去形］
　　　　　ド(るト)(ツ)**ヴァイ**マー(ル)

　　または　Ich <u>bin</u> dort zweimal <u>gewesen</u>.［現在完了形］
　　　　　　　　　　　　　　　　　ゲ**ヴェー**ゼン

# 5 過去完了形 —「英語と同じもの、あった！」

### 例 1　【「hatte ＋過去分詞」となる】

ドイツ語：**Sie hatten die Stadt verlassen.**
　　　　　ズィー　ハッテン　　ディー　(シュ)タッ(ト)　フェアラッセン
彼らは町を去ってしまっていた。

英　語：***They had left the city.***

#### 解説

**過去完了形**は、過去形や現在完了形よりも、**さらに過去**にさかのぼった時制です。日本語には明確な形がないので、なじみが薄いかもしれませんね。しかしその反面、***英語の過去完了形***とよく似ており、対応関係はすっきりしています。

まず、形を見ていきましょう。**現在完了形をさらに過去**にすればよいのですから、

　　　*have* ＋過去分詞［現在完了形］⇒ ***had* ＋過去分詞**［過去完了形］

となりますね。例文では「*had left*」となっています。ドイツ語でも同じで、

　　　haben ＋過去分詞［現在完了形］⇒ **hatte ＋過去分詞**［過去完了形］

となります。例文でも、「**hatte ... verlassen**」となっていますね。つまり、現在完了形の「***have* / haben**」の部分を、過去形にすればいいのです。（ドイツ語の過去完了形が**ワク構造**を作るのは、現在完了形と同じです。）

● 参考までに、**過去形をさらに過去**にしてみましょう。わかりやすくするため、動詞の例として「*have* / haben」を使ってみます。すると、

*had*［過去形］⇒ ***had** + 過去分詞*［過去完了形］
　　hatte［過去基本形］⇒ **hatte** + 過去分詞［過去完了形］

となります。つまり、「**過去形に完了の意味（＝過去分詞）を付け足した**」ことになるのです。これまで、過去完了形がピンと来なかった人も、「過去形よりも過去」であることが、これで納得できるかもしれませんね。

> ここが同じ！
> ・過去完了形は、「hatte / *had* + 過去分詞」

> ここが違う！
> ・ドイツ語はワク構造を作る

## 例 2　　　　　　　　　　　【「war ＋過去分詞」の場合】

ドイツ語：**Wir waren zu Fuß gekommen.**
　　　　　ヴィア　ヴァーれン　ツー　フー(ス)　ゲコンメン
　　　　　私たちは歩いてきました。

英　語：*We had come on foot.*

**解説**

　ドイツ語の現在完了形は、助動詞の部分が「haben」ではなく、「sein」になることもありました。過去完了形でも、この特徴は受け継がれます。つまり、前の課で見たような、「**自動詞**」で、「**場所の移動**」や「**状態の変化**」などを表す一部の動詞では、過去完了形を作るときに「**hatte ＋過去分詞**」ではなく、「**war ＋過去分詞**」となるのです。

　例文で確かめてみましょう。英語では「*had come*」となっていて、助動詞は「*had*」のままですが、ドイツ語では「**waren ...**

gekommen」となり、助動詞が「**war**」に変わったのがわかりますね。

● この辺りでそろそろ、**現在形と過去形をしっかり区別**する必要が出てきます。今まで後回しにしてきた人も、「**haben**」と「**sein**」の活用だけは、ここで覚えてしまってください！

☆ haben：ich habe, du hast, er hat;
　　　　　 wir haben, ihr habt, sie haben
　⇒ **hatte**：ich **hatte**, du **hattest**, er **hatte**;
　　　　　 wir **hatten**, ihr **hattet**, sie **hatten**
☆ sein：ich bin, du bist, er ist;
　　　　 wir sind, ihr seid, sie sind
　⇒ **war**：ich **war**, du **warst**, er **war**;
　　　　 wir **waren**, ihr **wart**, sie **waren**

### ここが違う！

・現在完了形で「sein」を使う動詞は、過去完了形でも「war＋過去分詞」となる

---

## 例 3　　　　　　　　　　　　　　　【「過去の過去」とは？】

ドイツ語：**Sie hatten schon die Stadt verlassen, als ich ankam.**
ズィー　ハッテン　ショーン　ディー　(シュ)タッ(ト)　フェア**ラッセン**
ア(ルス)　イッ(ヒ)　アン**カー**(ム)
私が着いたとき、彼らはすでに町を去ってしまっていた。

英　語：*They had already left the city when I arrived.*

### 解説

ところで、現在完了形や過去形よりもさらに過去、とはいっても、こ

れは絶対的な尺度を示しているわけではありません。あくまで相対的です。**基準となる時点**が過去のどこかにあり、**それよりも過去**である、という意味です。

　過去の基準点は、**過去形**で表されます。（ドイツ語の場合は、現在完了形のこともあります。）例文では、「**私が着いた**」という過去形の部分が、この基準点になります。そしてこの時点よりも前に、「**彼らが町を去った**」というできごとが起きたことになるのです。図式化すると、次のようになります。

```
〈過去完了形      →    過去形〉     ←    現在
「町を去った」        「私が着いた」   （話して／書いている時点）
    ‖                    ‖
基準点よりも過去      話の基準点
```

● 過去完了形がわかると、過去が立体的に見えてきます。**時間軸が2つ**になるからです。過去完了形を理解するポイントは、①「haben / sein」の部分が過去形であることに気づくこと、②過去の基準点を見つけること、の2つです。ぜひマスターして、英語もドイツ語も得意になってください！

● 例文を**過去形（または現在完了形）**で書き換えると、
　　Sie haben die Stadt verlassen, als ich ankam.
　　私が着いたとき、彼らは町を去った。
　　*They left the city when I arrived.*
となり、2つのできごとが同時、または相前後して起こったことになります。

　**ここが同じ！**
　　・過去完了形は、ある過去の時点よりもさらに遠い過去を表す

# 6 受動態 —「英語は be に一本化！」

### 例 1 　　　　　【「werden ＋過去分詞」となる】

ドイツ語：**Der Reis wird** automatisch **gekocht**.
　　　　　デア　ライ(ス)　ヴィ(るト)　アウトマーティッ(シュ)　ゲコ(ホト)
　　　　　米は自動的に調理されます。

英　語：*Rice is cooked automatically.*

**解説**

　ドイツ語の**受動態**は、英語と同じように**過去分詞**を使います。しかし、共通点はここまでです。英語の受動態は *be* 動詞を使い、「***be ＋過去分詞***」となりましたが、ドイツ語では「sein」は使わず、「**werden ＋過去分詞**」となります。

　例文を見てください。英語では「*is cooked*」となっていて、*be* 動詞が使われていますが、ドイツ語では「**wird ... gekocht**」となっていますね。

　例文を見ると、もう1つの違いもわかると思います。そうです。もうおなじみの**ワク構造**ですね。ドイツ語では受動態も、ワク構造を作るのです。ここでは間に、副詞（automatisch）が入り込んでいますね。

● 「werden」は、「〜になる」という意味の動詞でしたが、ここでは**助動詞**として使われています。**不規則な変化**をするのでしたね。ここでしっかり覚えておきましょう。
　☆現在形：ich **werde**, du **wirst**, er **wird**;
　　　　　　 wir **werden**, ihr **werdet**, sie **werden**

● 過去分詞にはもともと、「〜された」という**受動**の意味があります。これと、「werden」に含まれる「〜になる」という意味を組み合わせることにより、受動態を作っているのです。（なお、過去分詞には**完了**の意味もあり、こちらは完了形に生かされています。）

> ここが同じ！

・受動態に過去分詞を使う

> ここが違う！

・英語は「be ＋過去分詞」、ドイツ語は「werden ＋過去分詞」
・ドイツ語はワク構造を作る

---

### 例 2　　　　　　　　　　　【動作主は「von ＋ 3 格」】

ドイツ語：**Die Fragen werden von Juristen beantwortet.**
ディー　(フ)らーゲン　ヴェ(る)デン　フォン　ユり(ス)テン
ベアン(ト)ヴォ(る)テッ(ト)
質問は法律家が回答します。

英　語：*The questions are answered by lawyers.*

> 解説

　もともと受動態とは、動作を「する」人ではなく、**「される」側**に注目した表現なので、「だれが」ということをわざわざ表に出すことはあまりしません。たとえば例 1 では、「米が調理される」ことが重要なのであって、「だれが」ということは問題ではなかったのです。

　しかし、そうはいっても、「だれが」という情報を添えたいときもあります。英語では、**動作主**には「*by* 〜」という前置詞を使いましたね。ドイツ語では「**von** 〜」[フォン]になります。前置詞「von」は 3 格支配

なので、「von」のあとは **3格** になります。

例文では、「**von Juristen**」の部分が動作主です。（ここでは、「von」のあとは冠詞なしの複数3格です。）「werden ... beantwortet」がワク構造を作るので、その間に挟まれていますね。

● この文を、**能動態**にしてみましょう。
　　Juristen beantworten die Fragen.　　法律家が質問に回答します。
　　*Lawyers answer the questions.*
　　→ **動作主は主語**になっていますね。そして、**受動態の主語が、能動態では目的語**（＝4格）になっています。

● **動作主に主体性がない場合**は、「von」ではなく「**durch**」[ドゥ(るヒ)]を使います。（**4格**支配になります。）
　　Die Fragen werden **durch Beamten** beantwortet.
　　　　　　　　　　ドゥ(るヒ)　ベア(ム)テン

　　質問は役人を通して回答されます。
　　*The questions are answered through officials.*

**ここが違う！**
・受動態の動作主は「von＋3格」となる
　（主体性がない場合は「durch＋4格」）

---

### 例3　　【状態受動は「sein＋過去分詞」】

**ドイツ語**：**Der Hund ist am Eingang angebunden.**
　　　　　　デア　　ホゥン(ト)　イ(スト)　ア(ム)　アインガン(ク)　アンゲブンデン
　　　　その犬は入口につながれている。

**英　語**：*The dog is tied up to the entrance.*

> 解説

　最後に、**状態受動**を見ていきましょう。「～された状態にある」＝「～されている」という言いかたです。英語では、状態受動だけの決まった形があるわけではありません。一般の受動態と同じ「*be*＋*過去分詞*」を使い、文脈で使い分けています。例文を見ると、「*is tied*（*up*）」となっており、見た目に変わりはありませんね。

　ドイツ語では、**状態受動は「sein＋過去分詞」**となり、通常の受動態とは形が変わります。「状態」を表すのですから、「werden」（～になる）ではなく「sein」（～である）を使う、というのは理にかなっていますね。例文でも、「**ist ... angebunden**」というように、助動詞は「sein」になっています。

● 通常の受動態は「**動作受動**」といい、「～される」という**動き**を表します。例文を、「werden」を使って書き換えてみましょう。
　　Der Hund wird am Eingang angebunden.
　　その犬は入口につながれる。
となり、つながれていなかった犬が、今まさにつながれていく、という動きが見えてきます。それに対し、状態受動のほうは、「つながれる」という行為はすでに終わっていて、その結果の「つながれている」という状態が続いていることを示しています。

● 英語の例文で、「*tie up*」という**群動詞**が使われています。ドイツ語の分離動詞が過去分詞になっても離れないのと同じ発想で、英語の群動詞でも、過去分詞は「*tied up*」というように常にペアで使われます。

> ここが違う！
・英語の状態受動は、動作受動と形が変わらない
・ドイツ語の状態受動は「sein＋過去分詞」となる

## 覚えよう!! ― 受動態の時制【基本】

受動態にも、時制の区別があります。完了形になると３つの要素の組み合わせになるので、少々ややこしいかもしれません。こういうものだと割り切って、早めになじんでしまいましょう。（英語と違って進行形がないので、その分は楽ですね！）

### 1）現在形 … 「werden」の部分が現在形になる
Der Reis wird automatisch gekocht. ［＝例１］
米は自動的に調理されます。

### 2）過去形 … 「werden」の部分が過去形（wurde）になる
Der Reis wurde automatisch gekocht.
ヴ(る)デ
米は自動的に調理されました。

### 3）現在完了形 … 「ist ... 過去分詞＋worden」などとなる*
Der Reis ist automatisch gekocht worden.
ヴォ(る)デン
米は自動的に調理されました。

### 4）過去完了形 … 「war ... 過去分詞＋worden」などとなる*
Der Reis war automatisch gekocht worden.
米は自動的に調理されていました。

*）**受動態の完了形**には「haben」ではなく、「**sein**」を使います。「werden」の過去分詞が「**worden**」で、これが「sein」と一緒に**ワク構造**を作ります。受動を表す過去分詞は、「worden」の直前に来ます。

**コラム**

〔英語が見えてくる！〕目的語の種類と受動態

　受動態では、能動態での**目的語が主語**になります。例2でも確認しましたね。ここでは、目的語の種類を見ていきましょう。英語には***直接目的語***と***間接目的語***の2種類、ドイツ語には**3格**と**4格**の2種類があります。また、**前置詞句**を目的語とする文もあります。このような目的語を持つ場合、受動態はどのようになるのでしょうか？

**1）直接目的語または4格だけの文**

　もっとも基本的な受動態の文になります。能動態の***直接目的語***または**4格**の部分が、**受動態での主語**になります。（能動態での主語は、「*by* ～ / von ～」で表します。）

　　Juristen beantworten **die Fragen**.　　法律家が**質問**に回答します。
　　*Lawyers answer **the questions***.
　　⇒　**Die Fragen** werden von Juristen beantwortet.
　　　　***The questions** are answered by lawyers*.
　　　　　　　　　　　　　　　　**質問**は法律家が回答します。

**2）間接目的語または3格を伴う文**

　いわゆる **S+V+O+O** の文型には、1つの文に目的語が2種類入っていました。初めの「**O**」は***間接目的語***、2番目の「**O**」は***直接目的語***でしたね。ドイツ語ではそれぞれ、**3格**と**4格**にあたるものでした。この場合、英語では**2種類の受動態**が作れます。

　　① 直接目的語または4格の部分を主語にする

　　Mein Vater schenkte mir **einen Schal**.
　　マイン　ファーター　シェン(ク)テ　ミア　アイネン　シャー(ル)
　　父が私に**マフラー**を贈ってくれた。
　　*My father gave me a scarf*.
　　⇒　**Ein Schal** wurde mir von meinem Vater geschenkt.*
　　　　　ヴ(る)デ　　　　　フォン マイネ(ム)　　　ゲシェン(クト)
　　　　***A scarf** was given me by my father*.
　　　　**マフラー**が私に父から贈られた。

② 間接目的語の部分を主語にする

*My father gave me a scarf.*　父が私にマフラーを贈ってくれた。

⇒　*I was given a scarf by my father.*
　　私は父からマフラーを贈られた。

● ドイツ語では、3 格を主語にすることはできません。

Mein Vater schenkte **mir** einen Schal.
父が**私に**マフラーを贈ってくれた。

⇒　× **Ich** wurde ein Schal von meinem Vater geschenkt.

⇒　○ **Mir** wurde ein Schal von meinem Vater geschenkt.

（3 格は **3 格のまま**残ります。すると結局、語順が変わっただけで、①にある＊の文と同じになりますね。）

## 3) 3 格だけの文

英語では、***S+V+O*** の文では「***O***」は常に*直接目的語*とされ、上記 1) の要領で受動態を作れますが、ドイツ語で **3 格を目的語**にとる文は、上記 2) －②の要領で、**3 格は 3 格のまま**残します。

Meine Mutter hilft **mir** viel.　母は私をたくさん助けてくれる。
マイネ　ムッター ヒ(ルフト) ミア フィー(ル)

*My mother helps me a lot.*

⇒　**Mir** wird viel von meiner Mutter geholfen.
　　ミア ヴィ(る)ト　　　　　　　　　　ゲホ(ル)フェン
私は母にたくさん助けられる。

*I am helped a lot by my mother.*

● 3 格を 3 格のまま残すので、受動態にすると**主語のない文**になります。
文頭に「es」を入れて主語とすることもできます。

⇒　Es wird **mir** viel von meiner Mutter geholfen.
（この場合、「es」に意味はありません。）

193

**4）前置詞句を目的語とする文**

　動詞が特定の前置詞と結びつくと、それを**目的語**として解釈することができます。たとえば「warten」（待つ）という動詞は「auf + 4格」を伴って、「〜を待つ」という意味になります。（英語でも「*wait for* 〜」というように、特定の前置詞と結びつきますね。）このような文では、**前置詞句をそのまま残しながら**、動詞だけ受動態にすることができます。

　　Wir warten **auf eine Antwort**.　　私たちは**返事を**待っている。
　　　　ヴァ(る)テン　　　アン(ト)ヴォ(る)ト

　⇒　**Auf eine Antwort** wird gewartet.　　返事が待たれる。
　　　　　　　　　　　　　　　　　　　ゲヴァ(る)テッ(ト)

**5）目的語のない文**

　ドイツ語ではさらに、まったく**目的語を持たない**文でも受動態にすることができます。もとの文に4格がないので、受動態にすると、やはり**主語がない文**になります。

　　Heute arbeiten wir bis 20 Uhr.　　今日は夜8時まで働きます。
　　ホイテ　ア(る)バイテン　ヴィア　ビ(ス)(ツ)**ヴァン**ツィ(ヒ)　ウーア

　⇒　Heute wird bis 20 Uhr gearbeitet.
　　　　　　　　　　　　　　　ゲア(る)バイテッ(ト)

　　今日は夜8時まで働きます。
　　（＝仕事がされます。）

● 3）〜5）までの例は、4格の目的語を持たないため、すべて**自動詞**です。ドイツ語では、**自動詞からも受動態が作れる**ことになります。

● 自動詞から受動態を作る場合、もとの文に4格がないため、受動態に主語がありません。文頭に「es」を入れるか、副詞（句）などを入れることになります。

194

● 受動態に関して、ドイツ語と英語の違いは明確です。英語では**目的語の種類を区別せず、すべての目的語を受動態の主語**にすることができますが、ドイツ語では**受動態の主語にできるのは4格だけ**で、3格は主語にはできず、3格のまま残ります。

　逆にドイツ語では、4格をとらない**自動詞でも受動態にすることができます**。

　これら2つの違いはいずれも、**英語に明確な格の概念がない**ことから来ていると思われます。3格を3格のまま残したり、主語のない文を作ったり、というような「離れ技」は、語順で格を表現する英語には、とてもできそうにありませんね。2つの言語の違いは、こんなところにも表れているのです。

# 7 未来形 —「英語のほうが複雑！」

### 例 1 【「werden ＋不定形」となる】

ドイツ語：**Der Regen wird gleich aufhören.**
デア　　れーゲン　　ヴィ(る)ト (グ)ライ(ヒ)　アウ(フ)ホェーれン
雨はもうすぐやむでしょう。

英　　語：*The rain will stop soon.*

#### 解説

　英語の**未来形**にはいくつかの形があり、非常に複雑でしたが、ドイツ語の**未来形は形が 1 つ**しかありません。助動詞には「**werden**」を使います。「〜になる」という意味の動詞でしたから、未来形に使うのは自然な発想ですね。

　例文を見てみましょう。英語の未来形は、助動詞「*will*」を使いましたね。ここでも「*will stop*」となっています。「*will*」のあとは、*原形*が来るのでしたね。

　ドイツ語の例文は、「**wird ... aufhören**」となっています。「wird」という活用形は、「werden」の 3 人称単数でしたね。そして英語と同じように、**不定形**といっしょに使われているのがわかると思います。さらに、「werden」と不定形が**ワク構造**を作る、ということも確認できますね。

● これで、**助動詞としての「werden」**が 2 種類出てきました。受動態と未来形です。**受動態では過去分詞**と、**未来形では不定形**といっしょに使われます。しっかり区別して覚えましょう。

●「未来形」という名称ではありますが、純然たる未来に使うことは少

なく、ドイツ語の未来形にはさまざまな**ニュアンス**が含まれます。この例では、「未来に対する**推量**」を表しています。

> ここが同じ！

・未来形の助動詞（*will* / werden）を使い、不定形（*原形*）と組み合わせる

> ここが違う！

・ドイツ語はワク構造を作る

---

### 例 2 【現在形を使うとき】

ドイツ語：**Ich esse heute Abend zu Hause.**
　　　　　イッ（ヒ）エッセ　ホイテ　　　アーベン（ト）ツー　ハウゼ
　　　　　今夜は家で食べます。

英　　語：*I will eat at home tonight.*

**解説**

　ドイツ語では、**未来のことも現在形**で表せます。こちらは「純然たる未来」、つまり、**これから起こることが確実**なできごとに使います。たとえば例文では、「今夜は家で食べる」というできごとが、発言している時点で確定している、ということになります。英語では、*未来のことは未来形*で言うので、たとえ確定していたとしても、

　　× *I eat at home tonight.* ［現在形］

とは言わないのです。（確定的未来の現在形については、p.201 のコラムを参照してください。）

● 例文を**未来形**に書き換えてみると、

　　Ich werde heute Abend zu Hause essen.
　　今夜は家で食べる**つもりです**。

となります。「今夜は家で食べる」というできごとが、確定はしていないのだけれど、その**意志**はある、というニュアンスが含まれます。

● 主語が3人称の場合、未来形にすると「未来に対する**推量**」になります。
　　Er isst heute Abend zu Hause. ［現在形］
　　　　イ(スト)
　　彼は今夜、家で食べます。
　→　Er wird heute Abend zu Hause essen.
　　彼は今夜、家で食べる**でしょう**。

● 英語の「*will*」とよく似た話法の助動詞に、ドイツ語の「**wollen**」があります。こちらは未来ではなく、「**意志**」を表しますので、きちんと区別しましょう。
　　Er will heute Abend zu Hause essen.
　　　　ヴィ(ル)
　　彼は今夜、家で**食べたい**と思っている。
　≠　*He will eat at home tonight.*　彼は今夜、家で食べるでしょう。
　　　　　　　　　　　　　　　　　（または）食べるつもりです。

　ここが違う！
　　・確定した未来は、ドイツ語では現在形で表す
　　　→　未来形を使うと、「推量」「意志」などのニュアンスが含まれる

## 例 3 【未来を表さないとき】

ドイツ語：**Sie <u>wird</u> jetzt zu Hause <u>sein</u>.**
ズィー ヴィ(る)ト イェ(ツ)ト ツー ハウゼ ザイン
彼女は今ごろ家にいるだろう。

英　語：*She <u>will</u> <u>be</u> at home now.*

### 解説

　ドイツ語の未来形にはもう1つ、やっかいな用法があります。未来形なのに、**未来を表さない**ときがあるのです！（実は、英語の「*will*」にも同じ用法があるのですが、あまり頻繁には見かけませんね。）

　例文を見てください。動詞の部分は「**wird ... sein**」となっていて、たしかに**未来形**ですね。でも、未来のことを話しているのではなく、**話題は現在のこと**です。「今ごろ家にいるだろう」というのは、**現在に対する推量**ですね。

● **確実な未来は現在形**で表し、**現在の推量は未来形**で表すことになります。一見ややこしいようですが、日本語で考えると少しだけすっきりします。「〜する**だろう**」（未来）も「〜している**だろう**」（現在の推量）もドイツ語で**未来形**を使い、「〜します」（確実な未来）はドイツ語で現在形になるのです。日本語とドイツ語との親近性を感じますね。

● **「現在に対する推量」**ですので、**現在を表す副詞（句）**がいっしょに使われます。この例では、「jetzt」（今）がそうですね。

● **未来完了形**もあります。次の 2 つの用法があります。
　① 未来のある時点までに完了しているできごと
　　　Ich <u>werde</u> es bis morgen <u>beendet</u> <u>haben</u>.
　　　　　　　　　　ビ(ス) モー(る)ゲン ベエンデッ(ト)
　　　明日までに終わっているだろう。
　　　*I <u>will</u> <u>have</u> <u>finished</u> it until tomorrow.*

　② 過去に対する推量
　　　Er <u>wird</u> es <u>gelesen</u> <u>haben</u>.　彼はそれを**読んだかも**しれない。
　　　　　　　　　ゲレーゼン
　　　*He <u>will</u> <u>have</u> <u>read</u> it.*

　（ただし英語では、「*I think*」など、「推量」を表す文脈が必要になるようです。）

　**ここが違う！**
　・ドイツ語の未来形は、現在に対する推量にも使われる
　　（未来完了形は、過去に対する推量）

> コラム

## 〔英語が見えてくる！〕英語の未来形

**英語の未来形**は非常に複雑な体系を持っており、ざっと数えただけでも次の6種類があります。ドイツ語ではどうやって表現できるか、考えてみましょう。

### 1) 現在形

電車の発車時刻や会議の日程など、**予定**として組まれている未来を表します。「**確定**」している未来なので、ドイツ語でもやはり**現在形**になります［→例2を参照］。

*Our train leaves at 10 a.m.*
私たちの電車は午前10時に出発します。
→　Unser Zug fährt um 10 Uhr ab.
ウンザー　ツー(ク)　フェー(るト)　ウ(ム)　ツェーン　ウーア　アッ(プ)

### 2) 未来形「*will*＋原形」

① **単純未来**…純然たる未来のことで、**時間的な未来**を表します。英語では**未来形**、ドイツ語では**未来形**や**現在形**になります［→例1、例2］。

② **意志未来**…未来に関する**意志**を表すもので、英語でもドイツ語でも**未来形**になります［→例2の解説を参照］。

### 3)「*be going to*」

次の2通りの意味に使われ、いずれも**話し手の確信**が高いことを示しています。ドイツ語にはぴったり対応する表現はないので、「確定」の度合いによって**未来形**や**現在形**で表したり、**副詞**で意味を補ったりします。

①「今にも〜しそうだ」

*The tree is going to fall.*　木が今にも倒れそうだ。
→　Der Baum fällt **gleich** um.［現在形＋副詞］など
デア　バウ(ム)　フェ(ルト)　(グ)ライ(ヒ)　ウ(ム)

② 計画された意図

*He is going to buy a house.*
彼は家を買おうと思っている。
→ Er <u>wird</u> **jetzt** ein Haus <u>kaufen</u>.［未来形＋**副詞**］など
　　　イェ(ツト)　アイン ハウス カウフェン

## 4）現在進行形

**近い未来や予定**を表し、すでに「**手配済み**」という含みを持っています。「確定」の度合いが高いので、ドイツ語では**現在形**になります。

*We are leaving tomorrow.*　私たちは明日出発します。
→ Wir <u>fahren</u> morgen ab.
　　ファーれン モー(る)ゲン アッ(プ)

## 5）未来進行形

基本的には、**未来のある時点で進行中の動作**を表す時制ですが、**予定や成り行き**などを言うときにも使えます。ドイツ語では同じ表現ができないので、違う言い回しを考えることになります。

*I <u>will</u> <u>be eating</u> dinner.*　食事をしていることでしょう。＊
　　　　　　　（または）食事をすることになるでしょう。＊＊
→ Ich <u>werde</u> **gerade** beim Essen <u>sein</u>.［未来形＋**副詞**］など ＊
　　　ゲらーデ　バイ(ム) エッセン ザイン
　Ich <u>werde</u> **bestimmt** <u>essen</u>.［未来形＋**副詞**］など ＊＊
　　　ベ(シュ)ティ(ムト) エッセン

## 6）未来完了形

**未来のある時点までに完了**しているできごとを表し、ドイツ語でも**未来完了形**になります［→例3の解説を参照］。(ドイツ語は**現在完了形**になることもあります。)

*I will have finished it by tomorrow.*
明日までに終わっているだろう。

→　Ich werde es bis morgen beendet haben.　［未来完了形］
　　　　　　　　　ビ(ス) モー(る)ゲン ベエンデッ(ト)
　　Ich habe es bis morgen beendet.　［現在完了形］

● 複雑な未来形の世界、いかがでしたでしょうか？　兄弟語のはずなのに、これだけの差があるのは驚きですね。微妙な違いを表現できる英語と、「werden」と現在形だけですべてを表現してしまうドイツ語。どちらがしっくりなじめそうですか？

**第3部のまとめ**

**1．動詞の種類**
（1）他動詞 ・・・ 4格の目的語を伴うもの
（2）自動詞 ・・・ 4格の目的語を伴わないもの
（3）再帰動詞 ・・・ 再帰代名詞「sich」を伴うもの
　① 「sich」が4格の場合 ・・・ 他動詞を自動詞化する
　② 「sich」が3格の場合 ・・・ ほかに4格の目的語を伴う

**2．動詞の3基本形**
（1）不定形
（2）過去形
　① 規則動詞 ・・・ 動詞の語幹に「-te」をつける
　② 不規則動詞 ・・・ 語幹が変化する
　⇒ ①②の「過去基本形」に、人称語尾をつける！
（3）過去分詞
　① 規則動詞 ・・・ 語幹を「ge＿＿t」で挟む
　② 不規則動詞 ・・・ 変化した語幹を「ge＿＿n」で挟む
　③ 分離動詞の場合 ・・・ 分離の前綴りが前に出る
　④ 非分離動詞の場合 ・・・ 「ge-」がつかない
　⑤ 「-ieren」で終わる動詞も、「ge-」がつかない
　⇒ 「不定形」「過去基本形」「過去分詞」をあわせて、動詞の3基本形という

**3．完了形**
（1）現在完了形
　① 「haben ＋過去分詞」となり、ワク構造を作る
　② 場所の移動を表す自動詞などは、「sein ＋過去分詞」となる
　③ 過去形の代わりに使う

(2) 過去完了形

　①「hatte / war +過去分詞」となる

　② 過去の基準点よりもさらに過去を表す

## 4．受動態

(1) 動作受動

　①「werden +過去分詞」となり、ワク構造を作る

　② 能動態の4格が主語になる

　③ 動作主は「von + 3格」または「durch + 4格」

　④ 過去形…「wurde +過去分詞」

　⑤ 完了形…「sein / war ... 過去分詞 + worden」

(2) 状態受動

　①「sein +過去分詞」となり、動作受動と違う形になる

　② 受動の結果が、状態として続いていることを表す

## 5．未来の表現

(1) 未来形

　①「werden +不定形」となり、ワク構造を作る

　② 未来に関する推量、意志などを表す

　③ 現在に関する推量にも使われる

　⇒　確定した未来は、現在形で表す！

(2) 未来完了形

　①「werden ... 過去分詞 + haben / sein」となる

　② 未来のある時点で完了しているできごとを表す

　③ 過去に関する推量にも使われる

# Teil 4

(第4部)
形容詞のしくみと関係代名詞

# 1 形容詞の用法 —「形容詞を副詞にできる？」

### 例 1 　　　　　　　　　　　　　　　　　　　　　　【補語として】

> ドイツ語：**Ihre Antwort <u>war</u> schnell.**
> 　　　　イーれ　アン(ト)ヴォ(るト)　ヴァー(る)　(シュ)ネ(ル)
> 　　　　彼女の返事は早かった。
>
> 英　語：*Her answer <u>was</u> quick.*

**解説**

　ドイツ語の形容詞には、**3通りの用法**があります。（英語は2つしかありません。）順番に見ていきましょう。

　まず、**述語**として使う場合です。「○○は××である」という文の、「××」にあたる部分に入ります。これは英語でも同じですね。$S+V+C$ の文型で「$C$」の部分に入れることで、形容詞を*補語*として使えます。

　例文では、「schnell / quick」という形容詞が補語（＝述語）として使われています。このとき、「schnell」という形容詞に**語尾はつきません**。辞書に載っているままの形で使えます。

● 述語として使うので、文法用語では「**述語的用法**」といいます。（英語では、「*叙述用法*」という用語を使うようです。）

● 「補語」ですので、$S+V+C$ だけでなく、$S+V+O+C$ の文型にも使えます。
　Diese Musik <u>macht</u> mich **traurig**.　この音楽は私を悲しくさせる。
　　　　　ムズィー(ク)　マ(ハト)　　　(ト)らウリッ(ヒ)
　*This music <u>makes</u> me sad*.

> ここが同じ！
> ・補語として使える［＝形容詞の用法①］

## 例 2 【名詞の修飾語として】

ドイツ語：**Das war eine schnelle Antwort.**
ダ(ス) ヴァー(る) アイネ (シュ)ネレ アン(ト)ヴォ(るト)
早い返事だった。

英　　語：*It was a quick answer.*

**解説**

　次に、**名詞の前**に置いて**名詞を修飾**する用法があります。用法としては英語と同じですが、使いかたが少し違ってきます。

　例文で確認してみましょう。英語では、「*answer*」という名詞の前にある「*quick*」という単語、これが形容詞ですね。この「*quick*」は**直後の名詞**「*answer*」にかかって**修飾**しています。このとき、「*quick*」という形に変化はありません。例１に出てきたときと、まったく同じ形をしていますね。

　ドイツ語では、「Antwort」という名詞の前にある「**schnelle**」が形容詞です。英語と同じように、名詞の前に置かれて、直後の名詞を修飾します。でもよく見ると、例１とは形が違いますね。「**schnell**」のあとに、「**-e**」という**語尾**がついています。

　これが、**名詞を修飾するとき**の形容詞の特徴です。必ず**語尾変化**を起こすのです。そのため、「辞書に載っている形（＝見出し語）＋α」になります。

● どのような語尾がつくかは、次の課を見てください。冠詞の有無と、修飾する名詞の性・数・格によって決まります。

● 名詞の前に付け加えるので、文法用語では「**付加語的用法**」といいます。（英語では「*限定用法*」というようです。）

> **ここが同じ！**
> ・名詞の前に置いて、名詞を修飾できる［＝形容詞の用法②］

> **ここが違う！**
> ・ドイツ語では名詞を修飾する場合、**形容詞に語尾**がつく

---

## 例 3 【副詞として】

ドイツ語：**Sie antwortete schnell.**
ズィー アン(ト)ヴォ(る)テテ (シュ)ネ(ル)
彼女は早く答えた。

英　　語：*She answered quickly.*

**解説**

　最後に、英語にはない用法を紹介しましょう。ドイツ語ではなんと、形容詞が**そのまま副詞になる**のです！

　例文では、「schnell」という形容詞がそのまま使われていますね。これは補語ではなく、名詞を修飾しているわけでもないので、第3の用法である**副詞**、ということになります。「早い」（形容詞）→「早く」（副詞）となってしまうのです。

　これに対して英語では、「形容詞＝副詞」となる語は例外で、形容詞に「*-ly*」という*副詞の語尾*がつくのが一般的です。例文でも「*quick*」→「*quickly*」となっていますね。

● 3つの用法をまとめると、形容詞に**語尾がつく**場合は名詞の修飾語、**つかない**場合は**補語**か**副詞**、ということになります。

● 原則としてすべての形容詞を副詞として使えるので、副詞としての用法が**辞書の見出し語にない**場合もあります。そんなときは、自分で訳語を副詞にするようにしてください。

● 形容詞か副詞か、見分けるのが紛らわしい場合もあります。目をこらして、語尾があるかどうか、よーく見るようにしてくださいね！

　　Das war eine **wirklich** schnelle Antwort.
　　　　　　　　　ヴィ(るク)リッ(ヒ)

　**本当に**早い返事だった。

　（→ 「wirklich」は語尾がないので副詞。「schnelle」を修飾している。）

　ここが違う！
　　・ドイツ語の形容詞は、そのまま副詞になる［＝形容詞の用法③］

## 2 形容詞の格変化
― 「英語に語尾はつかないのに」

### 例 1 【冠詞がつかない場合】

> ドイツ語：**Ich habe großes Interesse an Ihnen.**
> イッ(ヒ) ハーベ (グ)ろーセ(ス) インテれッセ アン イーネン
> あなたにとても興味があります。
>
> 英　　語：*I have great interest in you.*

**解説**

　形容詞が**直後の名詞を修飾**するとき、ドイツ語では**形容詞に語尾**がつきます。（これを形容詞の**格変化**といいます。）まずは、**冠詞がつかない場合**を見ていきましょう。

　原則は、簡単です。冠詞がなく、形容詞のみが名詞の前にあることになるので、**形容詞が冠詞の代わり**をします。つまり、**冠詞のような語尾**がつくのです！

　例文では、「**großes**」の部分が形容詞で、次の「Interesse」という名詞を修飾しています。もとの形は「**groß**」なので、「**-es**」が語尾、というわけですね。「Interesse」は中性名詞なので、中性4格の定冠詞「das」とよく似た語尾がついているのです。

　　**das** Interesse　→　gro**ßes** Interesse　（中性4格）

● このほかの性・数・格でも、形容詞の語尾は**ほぼ定冠詞と同じ**になります。

[表1]

|  | 男性 | 女性 | 中性 | 複数 |
| --- | --- | --- | --- | --- |
| 1格 | -er | -e | -es | -e |
| 2格 | -en* | -er | -en* | -er |
| 3格 | -em | -er | -em | -en |
| 4格 | -en | -e | -es | -e |

*) 例外は**男性と中性の2格**のみで、ここは定冠詞「des」と同じ語尾にはなりません。男性と中性の2格は名詞にも「-(e)s」がつくため、形容詞の語尾で明示しなくても、2格だとわかるからです。

● 上の表を使って、練習してみましょう。どのような語尾が入るでしょうか？

1) Hast du groß[　] Hunger?
　　　　　　　　ホゥンガー
すごくおなかがすいている？（男性4格）

2) Das ist von groß[　] Interesse.
それはとても興味深い。（中性3格）

答え：1) en　2) em

> ここが違う！
>
> ・名詞を修飾する形容詞には語尾がつく
> 　→　①冠詞がない場合、定冠詞と同じ語尾になる

## 例 2 【定冠詞の場合】

ドイツ語：**Das rote Auto gehört dem jungen Mann.**
ダ(ス)　ローテ　アウトー　ゲヘェー(るト) デ(ム)　ユンゲン　　マン
赤い自動車はその若者のものだ。

英　　語： *The red car belongs to the young man.*

### 解説

　次は、名詞に**定冠詞がついている場合**です。定冠詞がついている、ということは、形容詞がわざわざ冠詞の代わりをする必要はありませんね。そのため、「-er」や「-em」といった、格を明示する強い語尾はつかず、「**-e**」と「**-en**」といった**弱い語尾**のみになります。

　具体的には、**単数1格で「-e」**という語尾がつき、そのほかは原則として「-en」になります。（ただし、**女性・中性の4格**は1格と同形なので、「-e」となります。）

　例文で確認すると、「das **rote** Auto」は**中性1格**なので、「rot」に「**-e**」という短いほうの語尾がついていますね。それに対し、「dem **jungen** Mann」は**男性3格**なので、「jung」に「**-en**」という長いほうの語尾がついています。

● 形容詞の語尾で格を明示しないため、この変化を「**弱変化**」といいます。（前項で出てきた変化は「強変化」です。）

[表2]

|  | 男性 | 女性 | 中性 | 複数 |
|---|---|---|---|---|
| 1格 | der　-e* | die　-e* | das　-e* | die　-en |
| 2格 | des　-en | der　-en | des　-en | der　-en |
| 3格 | dem　-en | der　-en | dem　-en | den　-en |
| 4格 | den　-en | die　-e* | das　-e* | die　-en |

*）「-e」となる部分に着目して覚えるといいでしょう。逆に**複数形**では、1格・4格を含めてすべて「**-en**」となるので、注意してください。

● 今回も、少し練習してみましょう。どのような語尾になるでしょうか？

1) Der groß[ 　 ] Baum ist wunderbar.
バウ(ム)　　ヴンダーバー(る)

その大木はみごとだ。（男性1格）

2) Ich kaufe die groß[ 　 ] Äpfel.
エ(プ)フェ(ル)

大きいリンゴを買います。（複数4格）

答え：1) e　2) en

#### ここが違う！

・名詞を修飾する形容詞には語尾がつく
→ ②定冠詞がつく場合、弱い語尾になる（「-e」または「-en」）

## 例 3 　　　　　　　　　　　　　　　　【不定冠詞の場合】

ドイツ語：**Ich sehe ein kleines Kind mit einer**
イッ(ヒ)　ゼーエ　アイン　(ク)ライネ(ス)　キン(ト)　ミッ(ト)　アイナー

**roten Tüte.**
ローテン　テューテ

赤い袋を持った小さな子が見える。

英　　語：*I see a little child with a red bag.*

#### 解説

　最後は、**不定冠詞がつく場合**です。やはり冠詞がついていますので、原則的には「弱変化」をして、「**-en**」という**弱い語尾**がつきます。例文で言えば、「einer **roten** Tüte」がそうですね。「rot」という形容詞に「**-en**」という語尾がついています。（ここでは女性3格です。）

　これに対し、「-en」とならないのが**単数1格**で、「**-er**」「**-e**」「**-es**」という**定冠詞と同じ語尾**がつきます。（**女性・中性の4格**も1格と同形に

215

なります。）例文では、「ein **kleines** Kind」がこれにあたります。中性4格なので、「klein」に「**-es**」という語尾がついているのです。

● 「弱変化」と「強変化」が混在しているため、「**混合変化**」とよばれています。

[表3]

|  | 男性 | 女性 | 中性 | 複数** |
|---|---|---|---|---|
| 1格 | ein   -er* | eine   -e* | ein   -es* | keine   -en |
| 2格 | eines  -en | einer  -en | eines  -en | keiner  -en |
| 3格 | einem  -en | einer  -en | einem  -en | keinen  -en |
| 4格 | einen  -en | eine   -e* | ein   -es* | keine   -en |

*）[表2] で「-e」だった部分が「強変化」になります。
**）「ein」の複数形はないので、否定冠詞「kein」を使っています。

● また少し練習してみましょう。語尾を考えてみてください。

1) Hast du eine groß[   ] Tüte dabei?
   大きい袋を持ってる？（女性4格）

2) Ich gebe es einem groß[   ] Hund.
   これは大きな犬にやるよ。（男性3格）

答え：1) e   2) en

ここが違う！
・名詞を修飾する形容詞には語尾がつく
  → ③不定冠詞がつく場合、弱い語尾（「-en」）と強い語尾が混在する

## 覚えよう!! ― 冠詞と形容詞【応用】

　形容詞の語尾は、冠詞の有無や種類によって格変化のパターンが決まってきます。そのため、どの冠詞がどのグループに属するかを知らないと、形容詞を正しく変化させることができません。ここでいくつか、原則を紹介しておきましょう。

### 1) 定冠詞に属するもの（＝定冠詞類）

　定冠詞と同じ変化をする冠詞を、「定冠詞類」というのでしたね［→Ⅱ-4「定冠詞の格変化」を参照］。dieser[ディーザー]（この）、jener[イェーナー]（あの）、jeder[イェーダー]（各々の）、welcher[ヴェ(ル)ヒャー]（どの）などがありました。**定冠詞類**がついているとき、形容詞の格変化は定冠詞と同じ、**[表2]** のパターンになります。

　**Dieses** rote Hemd gefällt mir.
　　　　　　ヘ(ムト)　ゲフェ(ル)ト ミア
　この赤いシャツが気に入っている。（中性1格）

　**Welche** roten Schuhe meinst du?
　　　　　　　　シューエ　マイン(スト)
　どの赤い靴のこと？（複数4格）

### 2) 不定冠詞に属するもの（＝不定冠詞類）

　不定冠詞と同じ変化をするものは「不定冠詞類」といい、**否定冠詞**「kein」と**所有冠詞**があるのでしたね［→Ⅱ-5「不定冠詞の格変化」を参照］。形容詞の格変化は不定冠詞と同じ、**[表3]** のパターンになります。

　**Mein** großer Sohn wird bald zehn.
　　　　　　　　　ゾーン　　　バ(ルト) ツェーン
　上の息子はもうすぐ10歳です。（男性1格）

　Die Stadt hat **keine** großen Straßen.
　　　(シュ)タッ(ト)　　　　　　　(シュト)らーセン
　その町には大きな通りがない。（複数4格）

**3）不定代名詞\*を複数形で使うとき**

① ［表2］（＝定冠詞）のパターンになる場合

**Alle** guten Sachen sind teuer.
アレ　グーテン　ザッヘン　ズィン（ト）トイアー
よい物はすべて高価だ。（複数1格）

**Beide** guten Freunde sind krank.
バイデ　グーテン　（フ）ろインデ ズィン（ト）（ク）らン（ク）
仲良しの友だちが2人とも病気だ。（複数1格）

⇒ 「すべての」「2人とも」といったように、**規定する力が強い**場合に、定冠詞と同じパターンを使います。

② ［表1］（＝無冠詞）のパターンになる場合

**Viele** gute Sachen sind teuer.
フィーレ
よい物は高価なことが多い。（複数1格）

**Einige** gute Freunde sind krank.
アイニゲ
仲良しの友だちが何人か病気だ。（複数1格）

⇒ 「多くの」「いくつかの」など、**規定する力が弱い**場合は、冠詞がないときと同じパターンになります。

\*）不定代名詞とは、**不特定のものを指す**代名詞です。例文ではいずれも**名詞を修飾**していますが、英語の「*some*」や「*all*」のように**単独**でも使えます。

　　**Beide** sind krank.　2人とも病気だ。
　　**Einige** sind krank.　何人かが病気だ。
　※名詞を修飾しないタイプの不定代名詞は、p. 235を参照してください。

## 3 形容詞の名詞化
— 「英語は the をつけるだけ」

### 例 1 【語尾が変化する】

ドイツ語：**Die Verletzten** wurden ins Krankenhaus gebracht.
ディー フェアレ(ツ)テン ヴ(る)デン イン(ス)(ク)らンケンハウス ゲ(ブ)ら(ハト)
けが人は病院に運ばれた。

英　語：*The injured were brought to the hospital.*

#### 解説

　形容詞をそのまま名詞として使うことを、**形容詞の名詞化**といいます。英語では、**定冠詞の「the」**をつけることで、「〜の人々」という表現になりましたね。

　　*rich* 　金持ちの　→　*the rich* 　金持ちの人々
　　*injured* 　けがをした　→　*the injured* 　けが人

　ドイツ語でも、基本的な発想は同じです。例文では「verletzt」(けがをした) という形容詞に**定冠詞の「die」**をつけて、「けがをした人々」という名詞を作っています。ただし、2つの大きな違いがあります。**語頭が大文字**になり、**語尾が変化する**のです。

　　reich 金持ちの　→　**die Reichen** 金持ちの人々
　　らイ(ヒ)　　　　　　　らイヒェン

　　verletzt けがをした　→　**die Verletzten** けが人
　　フェアレ(ツト)　　　　　　　フェアレ(ツ)テン

219

- **語頭が大文字**になることで、「名詞」扱いであることが明確にわかります。いっぽう、語尾が変化することで、もともと「形容詞」であったことを示しているのです。

- 名詞化したときの語尾変化は、**形容詞の変化とまったく同じ**です〔→Ⅳ-2「形容詞の格変化」の〔表1～3〕を参照〕。例文で言えば、**定冠詞**がついているので、語尾は p. 214 の〔表2〕と同じになります。**複数1格**でたしかに、「-en」という語尾になっていますね。

**ここが同じ！**
・形容詞に冠詞をつけて、名詞として使える

**ここが違う！**
・ドイツ語では大文字になり、語尾が変化する

---

### 例 2 　　　　　　　　　　　　　　　　　【「人」を表すとき】

ドイツ語：**Ein Verletzter** bat um **Wasser.**
　　　　　アイン　フェア**レ**(ッ)ター　　バー(ト) ウ(ム) **ヴァッサー**
　　　　　1人のけが人が水を求めた。

英　語：*An injured man asked for water.*

**解説**

次に、英語ではできない表現を見ていきましょう。英語では、名詞化できる形容詞は限られ、しかも「*the*」をつけることしかできず、意味は「人々」となり、**常に複数形**でした。これに対してドイツ語では、どんな形容詞でも名詞化でき、**不定冠詞や無冠詞の場合**もあり、**単数形**でも使えます。

まず例文では、「**ein** Verletzter」となっており、けがをしたのが1

人であることがわかります。次に、変化した語尾を見てください。「**-er**」となっていますね。これは**不定冠詞**がついているので、p. 216 の［表3］を見ると、**男性1格**の語尾です。つまり、けがをしたのは**男性**なのです。

● けがをしたのが**女性**の場合は、**冠詞と語尾**が変わります。
　　**Eine Verletzte** bat um Wasser.　けがをした女性が水を求めた。
　　アイネ　フェアレ(ツ)テ

● **1格以外**で使う場合も、冠詞と語尾が変わります。
　　Wir haben **dem Verletzten** geholfen.
　　　　　　　　デ(ム)　フェアレ(ツ)テン
　　私たちはそのけが人を助けた。
　　→　**男性3格**なので、けがをしたのは**男性**ですね。

● ドイツ語のほうが複雑に見えますが、さまざまな「人」に使えるので、便利でもあります。こんな芸当（？）ができるのも、形容詞を**大文字**で書き始めることで、「名詞である」とすぐにわかることと、**名詞の性**を**冠詞と語尾**で示すことで、意味を明確に規定できるからですね。
（英語では小文字のままなので名詞と形容詞の区別ができず、語尾がつかないので単複の区別も性の区別もできません。そのため、複数形の用法だけが残ったのでしょう。「楽」＝「不便」でもあるのです！）

> **ここが違う！**
> ・ドイツ語は単数形でも使える
> ・不定冠詞や無冠詞の場合もあり、格変化もする

第4部　形容詞のしくみと関係代名詞

### 例 3 【「物」を表すとき】

ドイツ語：**Das ist das Beste für Sie.**
ダ(ス) イ(スト) ダ(ス) ベ(ス)テ　　フュア ズィー
これがあなたにとって最善のものです。

英　語：*This is the best thing for you.*

#### 解説

　形容詞が名詞化されて、**男性・女性・複数**のどれかになっている場合は、前項で見たように「**人**」を表しますが、**中性**になると「**物・こと**」を表します。

　例文を見てください。「**das** Beste」となっていて、これは**中性**ですね。「best」という形容詞は「もっとも良い」という意味なので、これを名詞化して中性にすると、「もっとも良いもの・もっとも良いこと」となります。

● 英語でも、形容詞に「*the*」をつけて**単数扱い**にすることで、「〜のもの・こと」という言いかたはあるようですが、***文語的な表現***になってしまうようです。（ドイツ語から入った表現が、文語として残っているのかもしれませんね。）

　　*the beautiful*　美しいもの　　など

● 英語で「*something* ＋形容詞」にあたる表現は、ドイツ語にもあります。ただし、形容詞は**名詞化**され、**大文字**で書き始めます。性は**中性**になります。

　　*something new* → etwas **Neues**　何か新しいこと
　　　　　　　　　エ(ト)ヴァ(ス) ノイエ(ス)

　　*something blue* → etwas **Blaues**　何か青いもの　　など
　　　　　　　　　エ(ト)ヴァ(ス) (ブ)ラウエ(ス)

● 「*nothing* +形容詞」にあたる表現も、同様です。
　　*nothing special* → nichts **Besonderes**
　　　　　　　　　　　　ニ(ヒツ)　ベゾンデれ(ス)
　　特別なことは何も(ない)　　など

ここが違う！
・中性にすると「物・こと」を表す
　(英語では文語表現になる)

# 4 比較級と最上級 —「発想も形も英語と同じ」

## 例 1 【比較級は「-er」】

ドイツ語：**Er ist größer als sein Vater.**
エア イ(スト) (グ)**ろ**ェーサー ア(ルス) ザイン **ファ**ーター
彼は父親よりも背が高い。

英　語：*He is taller than his father.*

### 解説

　形容詞の**比較級**は、もとの形に「**-er**」をつけて作ります。英語と同じですね。ただし、「a」「o」「u」があって変音できる語には、**ウムラウト**をつけます。音が変わるわけですね。また、どんなに長い語であっても、英語のように、「*more* + 形容詞」という形にはなりません。あくまで、「-er」をつけるだけです。

　例文では、「groß」[(グ)ろー(ス)]（大きい、背が高い）という形容詞にウムラウトと「-er」がついて、「größer」[(グ)**ろ**ェーサー]という比較級になっていますね。「alt」[ア(ルト)]（古い、年をとった）であれば、同じように「älter」[エ(ル)ター]となりますし、「vorsichtig」[フォア**ズィ**(ヒ)ティ(ヒ)]（注意深い）という長い単語でも、「-er」をつけて「vorsichtiger」[フォア**ズィ**(ヒ)ティガー]とするだけです。

● **比較の対象**には「**als**」[ア(ルス)]を使います。英語の「*than*」にあたる表現です。（なお、「als」のあとは、**比較する相手と同じ格**になります。例文では「**als** sein Vater」となっていますが、比較する相手が「er」（= 1 格）なので、「als」のあとも 1 格になっている、というわけです。）

● 比較級を強調するには、「**noch**」[ノッ(ホ)] や「**viel**」[フィー(ル)] を前に添えます。

　　Er ist **noch** größer als sein Vater.
　　　　ノッ(ホ)
　　彼は父親よりも**さらに**背が高い。

　　Er ist **viel** größer als sein Vater.
　　　　フィー(ル)
　　彼は父親よりも**ずっと**背が高い。

【ここが同じ！】
・比較級は語尾に「-er」をつける

【ここが違う！】
・ドイツ語ではウムラウトをつける語もある
・長い語であっても、「*more* ＋形容詞」という形にはならない

## 例 2　　　　　　　　　　【名詞を修飾するとき】

ドイツ語：**Ich finde keine einfachere Lösung.**
　　　　　イッ(ヒ) フィンデ カイネ　　アインファッヘレ　　ロェーズン(ク)
より簡単な解決策が見つからない。

英　語：*I don't find an easier solution.*

**解説**

　形容詞は、**比較級になっても形容詞**です。つまり、これまでに見てきた**形容詞の用法**が、すべてあてはまることになります。そのままの形で**副詞**になったり、大文字にして**名詞化**されたり、ふつうの形容詞とまったく同じように使えるのです。

　その中でもっとも重要なのが、**名詞を修飾**するときに**語尾がつく**、と

いうことでしょう。このときの語尾はもちろん、ふつうの形容詞のときと同じです［→Ⅳ-2「形容詞の格変化」を参照］。例文では、**不定冠詞**がついた場合の**女性4格**なので、「**-e**」という語尾になっていますね［→p. 216の［表3］を参照］。語尾を取ってしまうと、「einfacher」という比較級が浮かび上がってきます。

● 例文を、比較級でない文と比べてみましょう。

  Ich finde keine **einfachere** Lösung.
       アインファッヘれ
  より簡単な解決策が見つからない。

  Ich finde keine **einfache** Lösung.
       アインファッヘ
  簡単な解決策が見つからない。

 → 違いは、一目瞭然ですね。比較級のほうが**長く**なっています。何が増えたかというと、「**r**」という文字です。「**einfachere**」という語を分解すると、次のようになります。

   einfachere = einfach + **er** + e
          （比較の語尾）（格変化の語尾）

● 名詞を修飾するときの比較級は、**格変化の語尾**がつくために、比較級の目印である**「-er」が埋没**してしまいます。辞書に載っている形と見比べて、「r」が語尾の前に挿入されて**長く**なっていたら、それは比較級です。いつも気にかけるようにしていると、上達は早いですよ！

　ここが違う！

・名詞を修飾するときに、格変化の語尾がつく

## 例 3 【最上級は「-st」】

ドイツ語：**Er liest am schnellsten.**
エア リー(スト) ア(ム) (シュ)ネ(ルス)テン
彼は読むのがいちばん速い。

英　語：*He reads the fastest*.

### 解説

　**最上級**も、作りかたは英語と同じです。語尾に「**-st**」をつけるだけです。ただし、比較級と同じように、変音できる語には**ウムラウト**をつけます。そしてやはり、どんな長い語でも、「*most* ＋形容詞」という形にはなりません。

　たとえば、「groß」（大きい、背が高い）は**ウムラウト**と「**-st**」をつけて「**größt**」[(グ)ろェー(スト)]＊ となり、「alt」（古い、年をとった）は「**ältest**」[エ(ル)テ(スト)]＊＊ となります。また、「vorsichtig」（注意深い）という長い語でも、「vorsichtig**st**」[フォアズィ(ヒ)ティ(ヒスト)]とするだけです。

　＊）形容詞の語末に「ß」（＝発音は「s」）があるため、「-t」だけをつけます。
　＊＊）「-st」だけでは発音しにくいため、「-e-」を間に加えます。

　例文では、「schnell」という形容詞に「**-st**」がついていますね。そして、前後にご注目ください。「**am　　sten**」という形になっていますね。これは英語のように、**最上級をそのままの形で使えない**からです。

●「**am　　sten**」となるのは、**述語**になるときか、**副詞**として使うと
　　ア(ム)　　(ス)テン
きです。

　① Er ist **am schnellsten**.　彼はいちばん**速い**。（＝述語）
　② Er liest **am schnellsten**.　彼はいちばん**速く**読む。（＝副詞）

227

● 英語のように「*the* + 最上級」の形でも、**述語**にできます。この場合は、**格変化の語尾**がつきます。

  Er ist **der** schnellste. 彼がいちばん速い。
     デア　（シュ）ネ（ルス）テ
  *He is **the** fastest.*

● **名詞を修飾**するときにも**語尾**がつきます。

  Er ist der schnellste Japaner. 彼はいちばん速い日本人だ。
        ヤパーナー

### ここが同じ！
・最上級は語尾に「-st」をつける

### ここが違う！
・ドイツ語ではウムラウトをつける語もある
・長い語であっても、「*most* + 形容詞」という形にはならない

## 覚えよう!! ― 不規則な比較級・最上級【基本】

 比較級には「-er」、最上級には「-st」をつけるのが基本ですが、特殊な変化をする形容詞もあります。代表的なものを挙げてみましょう。いずれもよく使う語で、英語と似ている変化もあります。

原級 － 比較級 － 最上級

gut － besser － best（良い） *good – better – best*
グー(ト)　ベッサー　　ベ(スト)

viel －　mehr － meist（多い） *many – more – most*
フィー(ル)　メーア　　マイ(スト)

hoch － höher － höchst（高い） *high – higher – highest* ［英語は規則的］
ホー(ホ)　ホェーアー　ホェー(ヒスト)

nah － näher － nächst（近い） *near – nearer – nearest* ［英語は規則的］
ナー　　ネーアー　　ネ(ヒスト)

# 5 | 関係代名詞 —「ドイツ語はコンマで区切られる」

## 例 1 【定冠詞と似ている】

ドイツ語：**Ich kenne den Mann, der dort steht.**
イッ(ヒ) ケンネ　デン　マン　　デア　ド(るト)　(シュ)テー(ト)
あそこに立っている男の人を知っています。

英　　語：*I know the man who is standing there.*

### 解説

　ドイツ語の関係代名詞は、**定冠詞とよく似て**います。例文では、コンマのあとの「**der**」が関係代名詞ですが、これは定冠詞「der」とまったく同じ形ですね。

　「定冠詞とよく似ている」と聞いて、いや〜な予感がした人もいるかもしれません。そうです。定冠詞と同じく、**関係代名詞も格変化**をするのです！

　でも、心配することはありません。格変化する形も、定冠詞とよく似ているからです。**2格と複数3格**だけ、少し語尾がついて長くなっていますが、前半を見れば定冠詞と同じなので、混乱はないはずです。

|  | 男性 | 女性 | 中性 | 複数 |
|---|---|---|---|---|
| 1格 | der | die | das | die |
| 2格 | dessen<br>デッセン | deren<br>デーれン | dessen<br>デッセン | deren<br>デーれン |
| 3格 | dem | der | dem | denen<br>デーネン |
| 4格 | den | die | das | die |

● 関係代名詞を使った文は、**副文**になります。副文というのは、①**前後にコンマがあり**、②**動詞が最後**に来る文のことでしたね［→Ⅰ-8「副文」を参照］。英語では*従属節*になるのですから、扱いは同じですね。

● 例文では、関係代名詞「der」の前にコンマがあり、動詞「steht」が文の最後に置かれています。コンマと動詞によって文が区切られるので、見やすいですね。

**ここが同じ！**
・関係代名詞を使って、文単位で修飾できる

**ここが違う！**
・ドイツ語では関係代名詞も格変化をする
・ドイツ語では副文になる

---

### 例 2　　　　　　　　　　　　【性と数は先行詞と一致】

ドイツ語：**Das ist mein Lehrer, dem ich danken will.**
ダ(ス) イ(スト) マイン　レーらー　　デ(ム)　イッ(ヒ) ダンケン　ヴィ(ル)
こちらがお礼を言いたい先生です。

英　語：*This is my teacher who I want to thank.*

**解説**

関係代名詞を実際に使うにあたって、**先行詞**との関係を見ていきましょう。先行詞というのは、関係代名詞が**修飾する語**のことで、関係代名詞よりも**先**に置かれます。例文では、「mein Lehrer / *my teacher*」

が先行詞ですね。

　ドイツ語では、関係代名詞の**性と数**が**先行詞と一致**します。このとき、格は関係ありません。例文では「**dem**」が関係代名詞ですが、これは**男性か中性**の3格ですね。つまり、**先行詞も男性名詞か中性名詞**、ということになります。（ここでは男性名詞です。）

● 関係代名詞の**格**は、**関係文の中での役割**を示します。例文で**3格**になっているのは、「danken」（感謝する）という動詞が目的語（＝感謝する相手）に3格をとるためです。

● 英語の関係代名詞は、先行詞が*人*であるか、*物*であるかによって、「*who / which / that*」を使い分けます。また、関係代名詞が*目的語*であっても、特に口語では「*whom*」という形を使わず、例文のように「*who*」となることが多いようです。

● 英語の関係代名詞は、***目的格の場合は省略***ができます。例文は、
　　*This is my teacher* ☐ *I want to thank.*
　のようにも言えます。

> ここが同じ！
・先行詞は関係代名詞の前に置かれる

> ここが違う！
・ドイツ語では、関係代名詞の性と格が先行詞と一致
・英語では、先行詞が人か物かで使い分ける

### 例 3  【前置詞を伴う場合】

ドイツ語：**Das ist der Brief, auf den ich**
ダ(ス) イ(スト) デア (ブ)リー(フ) アウ(フ) デン イッ(ヒ)
**gewartet habe.**
ゲヴァ(る)テッ(ト) ハーベ
これが私の待っていた手紙です。

英　語：*This is the letter which I have waited for.*

#### 解説

　関係代名詞が**前置詞を伴う場合**、ドイツ語と英語では少し語順が違ってきます。ドイツ語では、「**前置詞＋関係代名詞**」という語順が必ず保たれるのに対して、英語では*前置詞を文末に送る*ことができるのです。
　例文で比べてみましょう。先行詞は「der Brief / *the letter*」です。ドイツ語ではこのあとに**コンマ**がありますが、次に続くのは関係代名詞ではなく、**前置詞**です。前置詞のあとにやっと、関係代名詞があリますね。このように、前置詞とセットになった関係代名詞は、**前置詞のあとに隠れてしまう**ことになります。
　英語では、先行詞のすぐあとに関係代名詞が続き、*前置詞が文末*にありますね。この前置詞「*for*」の目的語はもちろん、関係代名詞の「*which*」になります。

● 関係代名詞の「**den**」は、**男性 4 格**です。先行詞も**男性名詞**ですね。4 格になっているのは、「warten」（待つ）という動詞が目的語に「**auf ＋ 4 格**」という形をとるためです。

● 英語でも、前置詞を*関係代名詞の前*に置くことができますが、どちらかというと*文章語*とされているようです。
　　△　*This is the letter for which I have waited.*

● 前置詞のあとは**目的格**になるので、英語では関係代名詞が**省略**できます。（実際には、省略した形が多く用いられているようです。）

*This <u>is</u> the letter* ☐ *I <u>have</u> <u>waited</u> <u>for</u>.*

> ここが同じ！
> ・関係代名詞を前置詞とセットにできる

> ここが違う！
> ・ドイツ語では必ず「前置詞＋関係代名詞」の語順になる
> ・英語では、前置詞を文末に置く

## 覚えよう!! ― ２格の関係代名詞【基本】

関係代名詞の**格**はふつう、**関係文の中での役割**を示すのですが、**２格**だけは少々使いかたが異なります。英語の「*whose*」と同様、次に続く**名詞とセット**になって、文中での役割を果たすためです。具体的に見ていきましょう。

例：<u>Hast</u> du von dem Politiker <u>gehört</u>,
　　　　　　　　ポリティカー ゲホェー(るト)

　　☐dessen☐ Sohn <u>verhaftet</u> wurde?
　　デッセン　ゾーン　フェアハ(フ)テッ(ト)　ヴ(る)デ

　　息子が逮捕されたあの政治家のこと、聞いた？

*<u>Did</u> you <u>hear</u> about the politician* ☐*whose*☐ *son <u>was</u> <u>arrested</u>?*

関係代名詞の２格は、男性と中性が「**dessen**」[デッセン]、女性と複数が「**deren**」[デーれン]になるのでしたね。**性と数は先行詞**と一致するので、先行詞が男性か中性の場合に「**dessen**」、女性か複数の場合に「**deren**」を使うことになります。例文では「**dessen**」なので、**先行詞は男性か中性**ですね。（ここでは男性名詞の「Politiker」が先行詞になります。）

さて、次は**格**を考えていこうと思います。関係代名詞は2格ですが、続く名詞が2格になるわけではありません。「dessen」はあくまで1語だけが関係代名詞で、先行詞をここにあてはめて、「その政治家**の**」という意味になります。そして、この関係代名詞が次の**名詞とセット**になって、「dessen Sohn」全体が、この文中では**主語**になる、ということです。

● 次の文では、「dessen Sohn」が**4格**になっています。「dessen」自体は変化しないので、**文脈で見分ける**ことになります。

Hast du von dem Politiker gehört,
　　dessen Sohn wir besucht haben?
　　　　　　　　　　ベズー（ホット）
息子を私たちが訪ねたあの政治家のこと、聞いた？

*Did you hear about the politician whose son we visited?*

## 覚えよう!! ─ 関係代名詞「was」【応用】

定冠詞によく似た関係代名詞のほかに、「**was**」[ヴァ(ス)] という関係代名詞もあります。「was」というのは、「何が」という疑問詞と同じ形をしていますね。大きく分けて、次の3種類の使いかたがあります。

### 1）特殊な先行詞をとるとき

一般的な名詞（および代名詞）ではなく、一定のイメージを持たない語を先行詞にするときに使います。そのため、「不定」関係代名詞ともいいます。

Ich will **alles**, was ich haben kann.
　　　　アレ(ス) ヴァ(ス)
持てるものはすべてほしい。

Ich sehe **etwas**, was du nicht siehst.
　ゼーエ エ(ト)ヴァ(ス) ヴァ(ス)　　ズィー(スト)
君には見えないものが、僕には見える。

● 「was」の先行詞になるもの
① alles（すべて）、etwas（何か）、nichts（何も）、das（～のもの／こと）
　アレ(ス)　　　エ(ト)ヴァ(ス)　　ニ(ヒツ)　　　ダ(ス)
　などの不定代名詞

② das Beste（最上のもの／こと）のような、形容詞の最上級を中性名詞化したもの

### 2）先行詞をとらないとき

英語の「***what***」と同じで、先行詞をとらずに使えます。関係代名詞に先行詞を含んでいる、と考えるためです。

Zeig mir, was du gekauft hast！　買ってきたものを見せて！
ツァイ(ク)　　　　ゲカウ(フト)

*Show me what you bought.*

● 「**wer**」も同じように使えます。（英語の「*who*」に、この用法はありません。）

>  Wer  kommen will, kann kommen.
>  ヴェア　コンメン　ヴィ(ル) カン　コンメン
>  来たい人は来ていいですよ。

> *Those who want to come may come.*
> （× *Who want to come may come.*）

### 3）前文の内容全体を受けるとき

英語の「**, which**」と同じで、文全体を先行詞とします。

> Er hat eine Stelle,  was  ihn glücklich macht.
>    (シュ)テレ　　　　　(グ)リュックリッ(ヒ) マ(ハト)

> 彼には勤め口があり、そのことが彼を幸せにしている。
> *He has a job, which makes him happy.*

**コラム**

〔英語が見えてくる！〕関係代名詞とコンマ

　ドイツ語では関係代名詞を使うと**副文**になるので、前後に必ず**コンマ**がつきます。これに対し、*英語でコンマ*がつくときには、「*非制限用法*」という特別な用法になります。ドイツ語と英語とで、コンマの持つ意味が違ってきてしまうのです。

**1）ドイツ語のコンマ**

　これまで紹介してきた例文は、どれも副文で終わっていたため、副文のあとにコンマはありませんでしたが、次の文では、**副文のあとにもコンマ**があります。

　　Die Briefe, die heute ankamen, liegen hier.
　　　（ブ）リーフェ　　ホイテ　アンカーメン　リーゲン　ヒーア
　　今日届いた手紙はここにあります。
　　The letters which arrived today are lying here.

　**コンマと動詞の位置**を調べれば、どちらが副文かはすぐにわかりますね。関係代名詞「die」で始まり、動詞「ankamen」で終わる部分が副文になります。そしてこの**副文を挟んで**、「Die Briefe liegen hier. 手紙はここにあります。」という**主文**が続いているのです。

　英語では前後にコンマがないので、*従属節の区切り*がわかりにくくなっています。関係代名詞「*which*」で始まり、すぐ次に「*arrived*」という従属節の動詞があって、「*S + V*」の文型になっていますが、どこで終わるかはすぐにはわからず、「*are lying*」という次の動詞が来てようやく、この前で従属節が終わっていたのだ、ということが判明するしかけになっています。

**2）英語のコンマ**

　英語の例文に、コンマを入れてみましょう。

　　The letters, which arrived today, are lying here.
　　手紙は今日届いたのですが、ここにあります。

　ドイツ語と同じように、従属節の区切りが見やすくなりましたが、英語の関係詞節にコンマをつけると、「*非制限用法*」という特別な用法になってし

まい、文の意味が変わってきます。「今日届いた手紙」と「それ以外の手紙」、というように、前者に**制限**する（=**制限用法**）のではなく、「手紙」に対し、「今日届いた」という**補足的な説明**を加えているだけなのです。

### 3）ドイツ語の非制限用法

ドイツ語には、「非制限用法」という発想はありません。いつも前後にコンマがつくため、両者を区別する習慣がないからですが、英語の「非制限用法」にあたる言いかたはあります。

① 補足説明

上記2）と同じで、先行詞を限定するのではなく、**説明を加える**用法です。ドイツ語ではいつものとおりにコンマがつき、見かけ上は「制限用法」と変わりません。

Dieses Haus, das vor fünfzig Jahren gebaut wurde,
ハウ(ス)　フォア フュン(フ)ツィ(ヒ) ヤーれん ゲバウ(ト)

　braucht Renovierung.
(ブ)らウ(ホット) れノヴィーるン(ク)

この家は50年前に建てられたもので、修繕が必要です。
　　（=50年前に建てられたこの家は、修繕が必要です。）
*This house, which was built fifty years ago, needs repairing.*

② 話題の継続

関係代名詞を続けることによって、**話を続ける**用法です。上記①と違って、関係文を先に訳すと**時間の流れ**が逆になり、不自然な日本語になります。

Wir haben eine Reise gebucht,
　　　　　　　らイゼ　ゲブー(ホット)

　die aber nicht stattfand.
　アーバー　　(シュ)タッ(ト)ファン(ト)

旅行を予約したけれど、開催されなかった。
　　（×開催されなかった旅行を予約した。）
*We booked a trip, which did not take place.*

● 前の文全体を先行詞とする「*which*」も、この用法にあたります〔→ p.236 参照〕。

# 6 指示代名詞 ―「that のもう1つの顔」

## 例 1　【関係代名詞と同じ形】

ドイツ語：**Ich kenne den Mann – den da!**
イッ(ヒ) ケンネ　デン　マン　　デン　ダー
あの人知っているよ。あそこにいる人だよ！

英　　語：*I know the man – the one over there!*

### 解説

　指示代名詞は、**関係代名詞と同じ形**をしています。つまり、2格と複数3格を除いて、**定冠詞とも同じ形**をしている、ということですね。

　指示代名詞の働きは、その名のとおり、「**指し示す**」ことです。例文では「**den**」が指示代名詞ですが、男性名詞である「Mann」を受けて、「あそこにいる**あの人を**」と指し示しているのです。

● 「その人を知っています」を3通りの言いかたで言ってみましょう。
　① Ich kenne den Mann. / *I know the man*.（定冠詞＋名詞）
　② Ich kenne ihn. / *I know him*.（人称代名詞）
　③ Ich kenne den. / *I know the one*.（指示代名詞）
⇒　②では名詞を単純に代名詞に置き換えているだけですが、③ではそれに「**指し示す力**」が加わって、「その人なら知っているよ」といったニュアンスになります。

● 見かけ上、**定冠詞の独立用法**としても解釈ができます。定冠詞のあとに続くはずの名詞を省略すれば、指示代名詞になるからです。
　（英語では、定冠詞の「*the*」は独立して使えません。「*the* ＋既出の

名詞」=「the one」で表現します。)

● 「定冠詞類」に属する仲間のうち、「**dieser**」(この) と「**jener**」(あの) も、あとに続くはずの名詞を省略して、指示代名詞として使えます。
　　Ich kenne **diesen**, aber nicht **jenen**.
　　　　　　 ディーゼン アーバー　　　 イェーネン
　　この人は知っているけれど、あの人は知らない。
　　*I know **this one**, but not **that one**.*

**ここが違う！**
・ドイツ語では定冠詞を独立させた形で、指示代名詞として使える
　→　指し示す力が強くなる（＝強調指示）

## 例 2　　　　　　　　　　　　　【2格は直前のものを指す】

ドイツ語：**Sie sieht heute ihre Tochter und deren Sohn.**
　　　　　ズィー ズィー(ト) ホイテ　　イーれ　 ト(ホ)ター　　ウン(ト)
　　　　　デーれン　ゾーン
　　　　　彼女は今日、娘とその息子に会う。

英　　語：*She **is seeing** her daughter and the daughter's son today.*

**解説**

もう1つ、「指し示す力」を使った便利な用法を見ていきましょう。今度は指示代名詞が **2格** の場合です。

例文では、「**ihre**」という所有冠詞と、「**deren**」という指示代名詞が使われています。いずれも、**女性名詞**（または名詞の複数形）**を受ける**形ですね。「ihre」は「彼女の（彼らの）」、「deren」は「その女性の（そ

の人たちの)」という意味になり、よく似ていますが、「指し示す力」が違ってきます。指示代名詞には、**直前のもの**と結びつく働きがあるのです。そのため、「deren」は主語ではなく、直前の女性名詞である「Tochter」を受けることになります。

● 例文の「deren」を、所有冠詞に置き換えてみましょう。
　　Sie sieht heute ihre Tochter und **ihren** Sohn.
　　　　　　　　　　　　　　　　　　　　イーれン
　　彼女は今日、娘と息子に会う。
　　*She is seeing her daughter and **her** son today.*
　　となり、直前のものを指す力は弱くなります。

● **2格以外**でも、直前のものと結びつくことがあります。
　① Der Junge spielte mit einem Ball. **Der** war sehr groß.
　　　　ユンゲ　(シュ)ピー(ル)テ　　　バ(ル)　　　　ゼーア　(グ)ろー(ス)
　　少年はボールで遊んでいた。ボールはとても大きかった。
　　*The boy was playing with a ball. This ball was very big.*
　　⇒　2文目の「der」は**指示代名詞**なので、直前の「Ball」を受けます。

　② Der Junge spielte mit einem Ball. **Er** war sehr groß.
　　少年はボールで遊んでいた。彼はとても大きかった。
　　*The boy was playing with a ball. He was very big.*
　　⇒　今度は**人称代名詞**なので、「er」は前の文の主語を受けます。

　ここが違う！
・指示代名詞の2格は、直前のものを指す（＝近接指示）

第4部　形容詞のしくみと関係代名詞

### 例 3  【名詞の代わりになる】

ドイツ語：**Unser Auto ist älter als das meiner**
ウンザー　アウトー　イ(スト)　エ(ル)ター　ア(ルス)　ダ(ス)　マイナー
**Eltern.**
エ(ル)タン
うちの車は両親の車より古い。

英　　語：*Our car is older than **that** of my parents.*

#### 解説

　最後に、英語にもある指示代名詞の用法を紹介しましょう。**同じ名詞が反復されるのを避ける**ための言いかたです。

　例文では、「unser Auto」（私たちの車）と「**das** meiner Eltern」（両親の**もの**）を比較しています。「**das**」は指示代名詞なのですが、これは本来、「**das Auto**」と言うべきところを縮めてしまっています。

　　Unser Auto ist älter als **das Auto** meiner Eltern.
と言うと、同じ文に「Auto」が繰り返されて、くどいからです。

　同じ言いかたは、英語にもあります。英語では、単数形は「*that*」、複数形は「*those*」で受けて、名詞の代わりにしています。

　　*Our car is older than **the car** of my parents.*
　→　*Our car is older than **that** of my parents.*

● 強調するためでも、近くのものを指すためでもなく、単に**名詞の代わり**をさせている、という意味で、例1・例2での用法とは異なっていますが、「**定冠詞の独立用法**」だと思えば、欠けている名詞を補って文意を完成させられるので、やはり同じ指示代名詞なのだ、と考えることができるでしょう。

> **ここが同じ！**
> ・名詞の反復を避けるために、名詞の代わりに使う

> **ここが違う！**
> ・ドイツ語は格変化をする
> ・英語は単数か複数かの違いだけ

第4部 形容詞のしくみと関係代名詞

### 第4部のまとめ

**1. 形容詞の用法**
（1）補語として
（2）名詞の修飾語として　→語尾が変化する！
　①冠詞がない場合・・・冠詞と同じ語尾になる（＝強い語尾）
　②定冠詞がつく場合・・・弱い語尾（「-e」「-en」）になる
　③不定冠詞がつく場合・・・弱い語尾（「-en」）と強い語尾が混在する
（3）副詞として　→形容詞をそのまま使える！
（4）形容詞の名詞化
　①大文字になり、語尾が変化する　→上記（2）の①〜③と同じ
　②男性・女性・複数の場合・・・「人」を表す
　③中性の場合・・・「物」を表す
（5）比較級・・・語尾に「-er」（変音できる音にはウムラウト）
　①比較の対象は「als」（＝ *than*）
　②名詞を修飾するときは、語尾が変化する →上記（2）の①〜③と同じ
（6）最上級・・・語尾に「-st」（変音できる音にはウムラウト）
　①補語や副詞では「am ＿＿ sten」という形になる
　②名詞を修飾するときは、語尾が変化する→上記（2）の①〜③と同じ

**2. 関係代名詞　→定冠詞と似た形を使う**
（1）性・数は先行詞と一致
（2）格は関係文の中での役割を示す
（3）副文を作る！　→前後にコンマ、動詞が最後
（4）前置詞を伴う場合は、「前置詞＋関係代名詞」

**3. 指示代名詞　→形は関係代名詞と同じ**
（1）強調して指示する
（2）直前のものを指す
（3）名詞の代わりに使う

# Teil 5

(第5部)
zu不定詞と接続法

# 1 zu 不定詞 — 「to 不定詞と語順が逆に」

## 例 1
【基本は「〜すること」】

ドイツ語：**Sie haben <u>vergessen</u>, Getränke <u>zu</u> <u>kaufen</u>.**
ズィー ハーベン フェア**ゲ**ッセン ゲ(ト)**れ**ンケ ツー **カ**ウフェン
彼らは飲み物を買い忘れた。

英　語：***They <u>forgot</u> <u>to</u> <u>buy</u> drinks.***

### 解説

「zu[ツー]不定詞」は、発想は英語の「***to 不定詞***」と同じです。「zu / to」を動詞の不定形（原形）と組み合わせて、「**〜すること**」という意味を表します。例文で言えば、「kaufen / *buy*」（買う）という動詞に「zu / to」をつけて、「zu kaufen / *to buy*」（買うこと）となる、というわけですね。

ところが、目的語や副詞などを伴った「**zu 不定詞句**」となると、語順が劇的に違ってきます。英語では「***to buy** drinks*」となって、「***to 不定詞***」のあとに**目的語**などが置かれますが、ドイツ語では「Getränke **zu kaufen**」のように、「**zu 不定詞**」が**最後**に来てしまうのです！

　[英語]　　　***to buy** drinks*　　　= ***to 不定詞*** + 目的語
　[ドイツ語]　Getränke **zu kaufen**　= 目的語 + **zu 不定詞**

● 「句」になっても、訳しかたの基本は「**〜すること**」です。例文では、「飲み物を買う**こと**」となります。

● ドイツ語では、「zu 不定詞句」の**前後をコンマで区切**ります。英語の「*to*」のような目印が、冒頭にないからです。

● 英語とは語順が違ってしまいますが、**日本語とは語順が一致**します。「zu 不定詞句」は、引っくり返して読む必要がないのです！

[ここが同じ！]
・「zu / to ＋動詞の不定形（原形）」で、「～すること」となる（＝名詞的用法）

[ここが違う！]
・ドイツ語の「zu 不定詞句」は前後にコンマがあり、動詞が最後に来る

## 例 2　　　　　　　　　　【名詞にかかる場合】

ドイツ語：**Wir sind gegen den Plan, hier ein Haus**
　　　　ヴィア　ズィン(ト)　ゲーゲン　デン　(プ)ラーン　ヒーア　アイン　ハウ(ス)
　　　　**zu bauen.**
　　　　ツー　バウエン
　　　　ここに家を建てる計画には反対です。

英　語：*We are against the plan to build a house here.*

[解説]

次に、「～すること」と訳さない場合を見ていきましょう。「こと」の部分に名詞が入り、「～する計画」などとなります。つまり「zu 不定詞句」全体が、**直前の名詞を修飾**しているのです。

例文では、英語は「*to*」のあと、ドイツ語は**コンマのあと**からが、「zu 不定詞句」になっていますね。基本に沿えば、「ここに家を建てる**こと**」と訳せますが、ここでは直前の「Plan / *plan*」という**名詞にかけて**、「ここに家を建てる**計画**」というようにつながります。名詞の内容を、**うしろから説明**しているのです。

第5部　ZU不定詞と接続法

● 「zu 不定詞句」の**語順**を確認しておきましょう。ここでは**副詞**が増えていますが、ドイツ語はやはり、日本語と同じ語順になっていますね。

[英語] ***to build*** *a house here* = ***to 不定詞*** + 目的語 + 副詞
[ドイツ語] hier ein Haus **zu bauen** = 副詞 + 目的語 + **zu 不定詞**

● 名詞だけでなく、**形容詞にかかる**こともあります。形容詞の内容を、うしろから説明することになります。

Ich bin entschlossen, ein Haus zu kaufen.
エン(ト)(シュ)**ロ**ッセン　　　　　　**カウ**フェン

家を買おうと固く決心している。

*I am determined to buy a house.*

**ここが同じ！**

・名詞（や形容詞）にかけて、うしろから内容を説明する（＝形容詞的用法）

---

### 例 3　　　　　　　　　　　　　　　　【前置詞につなげる場合】

ドイツ語：**Er ist stolz darauf, immer pünktlich**
エア イ(スト) (シュ)ト(ルツ) ダー**らウ**(フ) イン**マー**　ピュン(クト)リッ(ヒ)

**zu sein.**
ツー　ザイン

彼はいつも時間に正確なのが誇りだ。

英　語：*He is proud of being always on time.*

---

**解説**

　ドイツ語の「zu 不定詞句」は、**前置詞につなげる**こともできます。ただし、**前置詞の形が変わります**。（英語の「*to* 不定詞」は前置詞につなげることができないので、前置詞のあとは、**動名詞**という形をとりま

す。）
　具体的に見てみましょう。例文の「zu 不定詞句」は、**コンマのあと**にありますね。その直前には、「**darauf**」があります。これが、前置詞の働きをします。前置詞のあとに直接「zu 不定詞」をつなげることは、ドイツ語でもできないので、ひとまず「darauf」（**その上に**）と言ってから、「**どの上に？**」という情報を「**zu 不定詞**」**で追加**しているのです。

　Er ist stolz **darauf**. 彼はそのことに誇りを持っている。
　（*He is proud **of that**.*）
　　→　どのことに？　→　Er ist stolz **darauf**, immer pünktlich **zu** sein.

● 「darauf」というのは、前置詞「auf」と、**人称代名詞との融合形**でしたね〔→ p.152 を参照〕。ここでは、「**stolz**」（誇りを持っている）という形容詞が「**auf ＋ 4 格**」をとるので、「〜に」という意味になります。

● 一部の前置詞は、「zu 不定詞句」をそのままつなげることができます。

　Ich laufe viel, **um** gesund **zu** bleiben.
　　ラウフェ フィー（ル）　ゲズン（ト）　　（ブ）ライベン
　健康でいる**ために**、たくさん歩く。

　Er ging dorthin, **ohne zu** verzögern.
　　ギン（ク） ド（る ト）ヒン オーネ　　フェアツォェーゲ（る）ン
　彼はためらうこと**なく**、そこへ行った。

　Sie rief ihn an, **statt** ihn **zu** besuchen.
　　りー（フ）　　　（シュ）タッ（ト）　ベズーヘン
　彼女は彼を訪ねる**代わりに**電話をした。

> **ここが違う！**
> ・ドイツ語では、前置詞と「zu 不定詞句」をつなげられる
> 　→　前置詞は「**da ＋前置詞**」という融合形になる

249

## 覚えよう!! ―「zu 不定詞」の作りかた【基本】

「zu 不定詞」の作りかたには、少々コツがいります。「zu」がいつも動詞の不定形の前にあるとは限らないからです。

**1) 基本形…「zu ＋不定形」**

 **zu** gehen 行くこと
 ツー　ゲーエン

 **zu** sehen 見ること  など
 ツー　ゼーエン

**2) 分離動詞…「前綴り＋ zu ＋（根幹部分の）不定形」⇒ 1 語になる！**

 aus**zu**gehen 出かけること
 アウ(ス)ツーゲーエン

 wieder**zu**sehen 再び会うこと  など
 ヴィーダーツーゼーエン

**3) 助動詞を伴った形…「（相手の動詞）＋ zu ＋助動詞の不定形」**
 **⇒ 3 語になる！**

 ① 話法の助動詞

  gehen **zu** müssen 行かなくてはならないこと
  ゲーエン　ツー　ミュッセン

  sehen **zu** können 見ることができること  など
  ゼーエン　ツー　コェンネン

 ② 未来形

  gehen **zu** werden 行くであろうこと  など
  ゲーエン　ツー　ヴェ(る)デン

 ③ 受動態

  gesehen **zu** werden 見られること  など
  ゲゼーエン　ツー　ヴェ(る)デン

④ 完了形

    gegangen **zu** sein　行ったこと
    ゲガンゲン　　ツーザイン

    gesehen **zu** haben　見たこと　　など
    ゲゼーエン ツー ハーベン

● 実際の文中では、次のようになります。

    Sie haben vergessen, die Getränke mit**zu**bringen.（分離動詞）
    　　　　　フェアゲッセン　　　　ゲ(ト)れンケ　ミッ(ト)ツー(ブ)リンゲン
    彼らは、飲み物を持ってくるのを忘れた。

    Wir sind gegen den Plan, untersucht **zu** werden.（受動態）
    　　　　　ゲーゲン　　(プ)ラーン ウンターズーフト
    調査**される**という計画には反対だ。

    Er ist stolz darauf, ein Haus gekauft **zu** haben.（完了形）
    　　　　(シュ)ト(ルツ)　　　　　　　ゲカウ(フト)
    彼は、家を**買った**ことを誇りに思っている。

> **コラム**
## 〔英語が見えてくる！〕to 不定詞の用法とドイツ語

英語の「to 不定詞」とドイツ語の「zu 不定詞」は、似ている部分も多いのですが、すべてを同じように使えるわけではありません。英語で習った用法を、ドイツ語でどこまで表現できるのでしょうか？

**1) 名詞的用法 ・・・「～すること」と訳し、主語・目的語・補語になる** ◎
⇒ 基本的にすべて、ドイツ語でも同じです［→例1を参照］。

◎「*it* / es」を*仮主語・仮目的語*とする構文で、真の主語・目的語になります。
*It is not good to eat only meat.* 肉だけ食べるのはよくない。
（= to 不定詞は真の主語）
→ **Es** ist nicht gut, nur Fleisch **zu** essen.
  グー(ト) ヌア (フ)ライ(シュ)

× 「*what to do*」などの形に対応するドイツ語はありません。
*I do not know what to do.* 何をするべきか、わからない。
→ × Ich weiß nicht, was zu machen.
○ Ich weiß nicht, was ich machen soll.
  ヴァイ(ス)  ヴァ(ス)  マッヘン  ゾ(ル)

**2) 形容詞的用法 ・・・ 名詞にかかる** △
⇒ 下記②の一部と③のみ、ドイツ語も同じ形で対応できます。

① 名詞が*意味上の主語*になる場合 ×
*He is the first person to get to the moon.*
彼が月へ行った最初の人だ。
→ × Er ist die erste Person, auf den Mond zu gelangen.
○ Er ist die erste Person, die auf den Mond gelangte.
  エア(ス)テ ベ(る)ゾーン      モン(ト) ゲラン(ク)テ

② 名詞が*目的語*になる場合　△

This *is* the book *to* read.　これが読むべき本です。
- →　×　Das ist das Buch zu lesen.
- 　　○　Das ist das Buch zum Lesen.
　　　　　　ブー(ホゥ) ツ(ム) レーゼン

● 「das Buch zu lesen」は「その本を読むこと」という意味であり、「読むべき本」とはなりません。「読むべき」としたい場合は、動詞を名詞化します。

● ただし**文脈**によっては、**直前の名詞に直接かかる**場合もあります。

Ich habe ein Buch zu lesen.
　　　　　　　　ブー(ホゥ) ツー レーゼン
読むべき本が1冊ある。（= haben + zu 不定詞）

Ich gebe dir etwas zu lesen.
　　　ゲーベ　　　エ(ト)ヴァ(ス)
読むものを何かあげよう。（etwas にかかる）

③ *名詞の内容*を説明する場合 ［→例2を参照］ ○

3) 副詞的用法…「〜するために」などの副詞句を作る　△
⇒ 下記①は「**um + zu 不定詞**」の形で、②と③はそのままの形で対応できます。

① *目的・結果*　×

I am going to the station to pick up my mother.
母を迎えに駅へ行きます。
- →　Ich gehe zum Bahnhof, **um** meine Mutter abzuholen.
　　　　ゲーエ ツ(ム) バーンホー(フ)　　　　　ムッター ア(プ)ツーホーレン

② *原因・理由*　△

I am happy to see you here.
ここであなたに会えてうれしいです。
- →　Ich bin erfreut, Sie hier zu sehen.
　　　　　　エア(フ)ロイ(ト)　　　　　ゼーエン

● 「*判断の根拠*」の一部は、「zu 不定詞」では表現できません。

She <u>must</u> <u>be</u> rich <u>to</u> <u>have</u> such a big house.

あんなに大きな家を持っているなんて、彼女は金持ちに違いない。

→ Sie muss reich sein,
　　　ム(ス)　らイ(ヒ) ザイン

denn sie <u>hat</u> ja so ein großes Haus.　など
デン　　　　ヤー ゾー　(グ)ろーセ(ス) ハウ(ス)

彼女は金持ちに違いない。あんなに大きな家を持っているのだから。

③ *形容詞を修飾*　[→例２を参照]　○

**4) その他**　△

⇒ 英語もドイツ語も同じような使いかたをしますが、②のみ注意が必要です。

① *特定の動詞と結びつくとき*　○

I <u>do</u> not **need** <u>to</u> <u>get</u> up so early.

私はそんなに早く起きる必要がない。

→ Ich **brauche** nicht so früh **auf**<u>zu</u>stehen.
　　　(ブ)らウヘ　　　　　ゾー (フ)りゅー アウ(フ)ツー(シュ)テーエン

② 「be ＋ to 不定詞」（予定・義務・可能・運命など）×

You <u>are</u> <u>to</u> <u>attend</u> the meeting.

あなたは会議に出席することになっています。

→ × Sie sind an der Sitzung teilzunehmen.

　　○ Sie <u>sollen</u> an der Sitzung <u>teil</u>nehmen.
　　　　　ゾレン　　　　ズィッツン(グ) タイ(ル)ネーメン

● ドイツ語では、「**sein ＋ zu 不定詞**」は**受け身の意味**になります。

Der Schatz **ist** unter dem Sand **zu** <u>finden</u>.
　　シャッ(ツ)　　ウンター　　ザン(ト)　　フィンデン

宝は砂の下で見つかる。

（または）見つけなければならない。

③「*have + to 不定詞*」（〜しなければならない）○
　　*You **have to** <u>write</u> a letter.*　手紙を書かなくてはいけません。
　→　Sie **haben** einen Brief **zu** <u>schreiben</u>.
　　　　　　　（ブ）リー（フ）　（シュ）らイベン

● ドイツ語文は、上記2）②のように、「書くべき手紙が1通ある」という意味にもとることができます。

● ①②③とも、ドイツ語文で**前後のコンマは不要**です。

## 2 現在分詞 —「うしろから修飾できない！」

### 例 1
【不定形に「-d」をつける】

ドイツ語：**Der Film war hervorragend.**
デア フィ(ルム) ヴァー(る) ヘアフォアらーゲン(ト)
その映画は抜群にすばらしかった。

英　語：*The movie was outstanding.*

**解説**

ドイツ語にも、**現在分詞**はあります。作りかたはとても簡単で、動詞の**不定形の最後**に**「-d」**(ト)をつけるだけ。しかも、不規則な動詞はありません。

現在分詞と言えば、英語では「*-ing*」形ですね。「〜している」「〜しつつある」という意味がありました。そして、例文のように、*形容詞*として使えます。

ドイツ語でも、基本は同じです。例文では、「**hervorragend**」が現在分詞ですね。やはり形容詞として使われています。

hervorragen 突き出る → hervorragend 突き出ている (＝すばらしい)
ヘアフォアらーゲン　　　　　　　ヘアフォアらーゲン(ト)

● 不定形に「-d」がつくので、現在分詞は必ず「**-nd**」で終わります。
　　　　　　　　　　　　　　　　　　　　　　　ン(ト)

● 2つだけ例外があり、「-e-」が増えますが、「-nd」で終わることに変わりはありません。

sein（〜である）→ sei**e**nd
　　　　　　　　　ザイエン(ト)

tun（する）→ tu**e**nd
　　　　　　　トゥーエン(ト)

256

● 形容詞として使えるので、**名詞を修飾するときには語尾**がつきます。
Das <u>war</u> ein hervorragende**r** Film.
ヘアフォラーゲンダー
それは抜群にすばらしい映画だった。
*That <u>was</u> an outstanding movie.*

### ここが同じ！
・現在分詞が「〜している」「〜しつつある」という意味になる
・現在分詞を形容詞として使える

### ここが違う！
・ドイツ語では「-nd」という形になる

## 例 2　　　　　　　　　　　　　【形容詞句になる場合】

ドイツ語：**Er <u>hörte</u> die nach ihm rufende Stimme.**
エア ホェー(る)テ ディー ナー(ハ) イー(ム) るーフェンデ (シュ)ティンメ
彼は自分を呼ぶ声を聞いた。

英　語：*He <u>heard</u> the voice calling him.*

### 解説

現在分詞は**形容詞**として使えるので、①**補語**になったり、②**名詞を修飾**したり、③そのまま**副詞**として使ったりすることができます。（**名詞化**することもできます。）

ところが、**もとは動詞**だったので、動詞としての性質もあわせもっています。どういうことかというと、**目的語や副詞**などをくっつけることができるのです！

このとき、ドイツ語では必ず、目的語や副詞は**現在分詞の前**に置かれます。そして必ず、**現在分詞は名詞の前**に来ます。図式化すると、次の

ようになります。

　　　冠詞　→　目的語・副詞　→　現在分詞　→　名詞
　　　die　　　nach ihm　　　**rufende**　　Stimme

● 冠詞と名詞が遠く離れてしまい、その間に現在分詞を含む形容詞句が入って、名詞を修飾します。この形を「**冠飾句**」といいます。

● 英語では、現在分詞を含む形容詞句は、***名詞のあと***に続きます。図式化すると、矢印のかかりかたがドイツ語の逆になりますね。

　　　冠詞　→　名詞　←　現在分詞　←　目的語・副詞
　　　*the*　　*voice*　　***calling***　　　*him*

**ここが同じ！**
・現在分詞に、目的語や副詞などを付加できる

**ここが違う！**
・情報が付加された現在分詞は、ドイツ語では名詞の前に置かれる
（＝冠飾句）
・英語では名詞のあとに続く

## 例 3 　　　　　　　　　　　　　　　　　　【副詞句になる場合】

ドイツ語：**Sich an die Wand lehnend, zählte sie bis zehn.**
ズィッ(ヒ) アン ディー ヴァン(ト)　レーネン(ト)　　ツェー(ル)テ ズィー
ビ(ス) ツェーン

壁によりかかって、彼女は10まで数えた。

英　語：*Leaning against the wall, she counted to ten.*

#### 解説

　現在分詞は、そのまま**副詞**としても使えます。このときやはり、動詞としての性質を生かして、**目的語や副詞**などを付加することができます。

　このような副詞句では、**現在分詞が句の終わり**に置かれます。目的語や副詞などが先に来るのは、形容詞句のときと同じですね。

　　目的語・副詞　　→　　現在分詞
　　sich an die Wand　　**lehnend**

● 現在分詞を含む副詞句は、**前後をコンマで区切り**、英語でいう*分詞構文*になります。英語ほど使用頻度は高くありませんが、副文の代わりに用いられ、副文の持つさまざまな意味に対応します。

#### ここが同じ！

・現在分詞に目的語や副詞を付加して、副詞句を作れる
　→　分詞構文となる

#### ここが違う！

・ドイツ語では前後にコンマがあり、現在分詞が副詞句の最後に来る

---

#### ここに注意！

● 現在分詞と「sein」を組み合わせても、英語のような*進行形*にはなりません。

*She is leaning.*　彼女はよりかかっている。
　→　×　Sie ist lehnend.
　　　○　Sie lehnt sich.（＝現在形）
　　　　　　レーン(ト)

● 現在分詞を「sein」のあとに置けるのは、あくまで**補語として**であって、**形容詞としての意味**が確立しているものに限ります。

第5部　ZU不定詞と接続法

> **ここに注意！**

- 英語では*現在分詞*と同じ形を*動名詞*としても使えますが、ドイツ語にこの用法はありません。**動詞を名詞化**するには、**不定形**を大文字にして、**中性名詞**にします。
    *write* 書く　→　*writing* 書くこと
    schreiben　→　das Schreiben
    　　　　　　　　ダ(ス)(シュ)**ら**イベン

- 英語では、*動名詞*と「*to 不定詞*」のどちらを使うのか、ややこしい例がたくさんありますが、ドイツ語では「zu 不定詞」しか使わないので、すっきりしています。
    ○　*I finished **writing** a letter.*　手紙を書き終えた。
    ×　*I finished to write a letter.*
    →　Ich habe **beendet**, einen Brief **zu** schreiben.
    　　　　　ベ**エ**ンデッ(ト)　　　(ブ)**りー**(フ)　ツー　(シュ)**ら**イベン

## 覚えよう!! ― 過去分詞の場合【基本】

　この課で述べてきたことは、すべて**過去分詞**にもあてはまります。つまり、形容詞として使え、①**補語**になり、②**名詞を修飾**し、③そのまま**副詞**になるのです。(**名詞化**できることも同じです。)

　過去分詞には、**受け身**と**完了**の2つの意味があります。例を見ていきましょう。

**1) 補語になる場合**

Ich bin **gespannt**.
ゲ(シュ)パン(ト)

私はどきどきしている。(=張りつめられた) [=受け身]

**2) 名詞を修飾する場合**

die **vergangene** Woche　先週 (=過ぎ去った) [=完了]
フェア**ガンゲ**ネ　ヴォッヘ

ein **begabter** Künstler
ベガー(プ)ター　キュン(スト)ラー

才能のある芸術家 (=才能を与えられた) [=受け身]

**3) 副詞として**

Sie redet **aufgeregt**.
れーデッ(ト)　アウ(フ)ゲれー(クト)

彼女は興奮して話している。(=興奮させられて) [=受け身]

**4) 形容詞句 (=冠飾句) を作る場合**

ein viel **geflogenes** Flugzeug
ゲ(フ)ローゲネ(ス)　(フ)ルー(ク)ツォイ(ク)

たくさん飛んだ飛行機 [=完了]

die von ihm **erfundenen** Geschichten
エア**フン**デネン　ゲシ(ヒ)テン

彼によって創作された物語 [=受け身]

**5）副詞句（＝分詞構文）になる場合**

Von der Reise **zurückgekehrt**, bin ich müde.
　　　らイゼ　ツーりュッ(ク)ゲケー(るト)　　　　ミューデ

旅行から戻って疲れた。[＝完了]

Von ihm **angesprochen**, sah ich auf.
　　　　アンゲ(シュプ)ろッヘン　ザー

彼に話しかけられて、目を上げた。[＝受け身]

## 覚えよう!! ―「zu +現在分詞」【応用】

現在分詞はあくまで、「〜している」「〜しつつある」という**能動的な意味**を表し、基本的には「〜される」という受動的な意味にはなりません。(これが、過去分詞との大きな違いです。)

ところが、**現在分詞の前に「zu」**がつくと、**「〜されるべき」「〜されうる」**となって、**受動的な意味**を表すようになります。

Das sind die an der Sitzung **zu verteilenden** Materialien.
ズィッツン(ク) ツー フェア**タイ**レンデン マテリ**アー**リエン
こちらが、会議で配る資料です。(=配られるべき)

*These are the materials to give out at the meeting.*

● この英文は、p.253 の 2)②に出てきた文と同じ形をしていますね。いずれも「to 不定詞」の直前の名詞が、「to 不定詞」の目的語になっています。名詞の側から見れば、「〜される」というわけですね。つまりこの文は、「zu +現在分詞」で書き換えることができるのです。

*This is the book to read.*　これが読むべき本です。

→　Das ist das **zu lesende** Buch.

● 「zu +現在分詞」の意味は、**「sein + zu 不定詞」**の意味と対応しています。同じコラムの 4)②にある例文を、書き換えてみましょう。

Der Schatz **ist** unter dem Sand **zu** finden.
宝は砂の下で見つかる。
(または) 見つけなければならない。

⇒　Wo ist der unter dem Sand **zu findende** Schatz?
ヴォー　　　　　　　　ザン(ト) ツー **フィン**デンデ シャッ(ツ)
砂の下で見つかるはずの宝はどこだ?

● 「zu +現在分詞」は、**未来分詞**ともいいます。**これから起こる**(はずの)ことを表しているからです。

# 3 接続法とは —「英語にも接続法はある？」

## 例 1  【第1式は不定形から】

ドイツ語：**Gott helfe mir.**
ゴッ(ト) ヘ(ル)フェ ミア
神よ、私を助けたまえ。

英　語：*God help me.*

### 解説

**接続法**といっても、耳慣れない言葉かもしれません。英語にないから難しそう、と敬遠してしまうかもしれませんね。でも実は英語でも、「接続法」といわないだけで、対応する表現はちゃんとあります。接続法の形がないだけで、*現在形や過去形、原形*などで代用しているのです。

例文は、**接続法第1式**を使っています。動詞の「**helfe**」という形は、現在形でも過去形でもありませんね。接続法第1式は、**動詞の不定形から作り**ます。不定形から、**語尾の「-n」を取る**だけです。簡単ですね。

● 実際には、不定形から「-n」を取った形に、**人称変化の語尾**がつきます。

　　ich helfe 　　　　wir helfe-**n**
　　ヘ(ル)フェ 　　　　ヘ(ル)フェン

　　du helfe-**st** 　　ihr helfe-**t**
　　ヘ(ル)フェ(スト) 　ヘ(ル)フェッ(ト)

　　er helfe 　　　　sie helfe-**n**
　　ヘ(ル)フェ 　　　　ヘ(ル)フェン

　→ **過去形と同じ語尾**になります
　→ 「du」「ihr」「er」以外は、現在形と同じ形ですね！

264

- 英語の例文でも、「*help*」という形は現在形でも過去形でもありませんね。ここでは**原形**を使って、接続法の内容を表しています。

- 接続法第 1 式は、**要求話法**と**間接話法**に使います。例文は、要求話法ですね。
  [→ 詳細は、V-4「要求話法」とV-5「間接話法」を参照してください。]

### ここが同じ！
・現在形でも過去形でもない形を使って、要求話法などを作る

### ここが違う！
・接続法第 1 式は、動詞の不定形から「-n」を取る（＋人称語尾）

---

## 例 2  【第 2 式は過去形から】

ドイツ語：**Er wünschte, er wäre ein König.**
エア ヴュン(シュ)テ　エア ヴェーれ　アイン コェーニッ(ヒ)
自分が王だったらなあ、と彼は願った。

英　語：*He wished he were a king.*

### 解説

ドイツ語にはもう1種類、接続法があります。**接続法第 2 式**です。こちらは動詞の**過去形から作り**ます。

例文では、「**wäre**」[ヴェーれ]が**接続法第 2 式**になっています。これもやはり、現在形でも過去形でもない形ですね。不定形は「sein」です。**過去形にウムラウトをつけ、最後に「-e」**を添えると、できあがりです。

　　sein（不定形）→　war（過去形）→　**wäre**（接続法第 2 式）

● 接続法第2式でも、人称変化の語尾がつきます。

  ich wäre      wir wäre-**n**
   ヴェーれ        ヴェーれン

  du wäre-**st**      ihr wäre-**t**
   ヴェーれ(スト)      ヴェーれッ(ト)

  er wäre       sie wäre-**n**
   ヴェーれ        ヴェーれン

→ こちらもやはり、**過去形と同じ語尾**ですね。

● 英語の例文では、「*were*」という*仮定法*を使っています。現在形でも過去形でもありませんね。そしてやはり、*過去形に近い形*なのです。

● 接続法第2式は、**非現実話法**（＝仮定法）と**婉曲話法**に使います。例文では、非現実話法になっています。
　［→　詳細は、V-6「非現実話法」とV-7「婉曲話法」を参照してください。］

● **規則動詞**は、過去形にウムラウトをつけず、**過去形をそのまま**使います。
　machen（不定形）→ machte（過去形）→ **machte**（接続法第2式）
　マッヘン　　　　　　マ(ハ)テ　　　　　　マ(ハ)テ

▎ここが同じ！
・過去形に近い形を使って、非現実話法などを作る

▎ここが違う！
・接続法第2式は過去形にウムラウトをつけ、語尾に「-e」（＋人称語尾）

## 例 3 【接続法の完了形】

ドイツ語：**Er wünschte, er hätte es nicht gesagt.**
エア ヴュン(シュ)テ　エア ヘッテ　エ(ス) ニ(ヒト) ゲザー(クト)
それを言わなかったらなあ、と彼は思った。

英　　語：*He wished he had not said it.*

### 解説

　接続法に、**時制はありません**。過去のことを言うには、**完了形**にします。完了形というのは、「haben / sein + 過去分詞」でしたね。このうち、「**haben / sein**」の部分が接続法になるのです。

　例文を見てみましょう。「**hätte ... gesagt**」となっていますね。「**hätte**」[ヘッテ] は「haben」の接続法で、過去形「hatte」にウムラウトをつけた、**第 2 式**です。これと過去分詞「gesagt」を組み合わせて、**接続法第 2 式の完了形**、というわけです。

● 完了形にすると、**時制が 1 つ前**にずれます。例文では、「er wünschte」（彼は願った）という過去形の時間軸があり、それより前のできごとに対して、完了形で非現実話法を用いています。

● 英語の例文では、過去形をさらに過去にする（=*過去完了形*）ことで、時間を 1 つ前にずらしています。

● 接続法第 1 式の完了形は「habe / sei + 過去分詞」、接続法第 2 式の
　　　　　　　　　　　　　　　　　ハーベ　ザイ

　完了形は「hätte / wäre + 過去分詞」となります。
　　　　　ヘッテ　ヴェーれ

> **ここが同じ！**
> ・非現実話法などで、過去のことを表現できる

> **ここが違う！**
> ・ドイツ語では接続法の完了形を使う
>   → 「haben / sein ＋過去分詞」の助動詞部分が接続法になる

## 覚えよう!! ― 助動詞の接続法【基本】

接続法がよく使われるのは、なんといっても**助動詞**です。ここで一度、助動詞のおさらいをしてみましょう。ついでに、接続法の作りかたも確認してみてください！

### 1）話法の助動詞

| 不定形 | 現在形（単数人称） | 過去形 | 接続法第１式 | 第２式 |
|---|---|---|---|---|
| müssen ミュッセン | muss ム(ス) | musste ム(ス)テ | müsse ミュッセ | müsste ミュ(ス)テ |
| können コェンネン | kann カン | konnte コンテ | könne コェンネ | könnte コェンテ |
| dürfen デュ(る)フェン | darf ダ(るフ) | durfte ドゥ(るフ)テ | dürfe デュ(る)フェ | dürfte デュ(るフ)テ |
| mögen モェーゲン | mag マー(ク) | mochte モ(ホ)テ | möge モェーゲ | möchte モェ(ヒ)テ |
| wollen ヴォレン | will ヴィ(ル) | wollte ヴォ(ル)テ | wolle ヴォレ | wollte* ヴォ(ル)テ |
| sollen ゾレン | soll ゾ(ル) | sollte ゾ(ル)テ | solle ゾレ | sollte* ゾ(ル)テ |

＊）「wollte」と「sollte」のみ、接続法第２式でもウムラウトはつきません。

## 2）その他の助動詞

| 不定形 | 過去形 | 接続法第1式 | 第2式 |
|---|---|---|---|
| sein<br>ザイン | war<br>ヴァー(る) | sei**<br>ザイ | wäre<br>ヴェーれ |
| haben<br>ハーベン | hatte<br>ハッテ | habe<br>ハーベ | hätte<br>ヘッテ |
| werden<br>ヴェ(る)デン | wurde<br>ヴ(る)デ | werde<br>ヴェ(る)デ | würde<br>ヴュ(る)デ |
| lassen*<br>ラッセン | ließ<br>リー(ス) | lasse<br>ラッセ | ließe<br>リーセ |

*）「～させる」という意味の、使役の助動詞です（＝ let）

**）「sein」の接続法第1式は、1人称複数・3人称複数で「-e-」が入ります。

→　wir seien, sie seien
　　　ザイエン　　ザイエン

## 4 要求話法 —「英語で原形を使うとき」

### 例 1 　　　　　　　　　　　　　　　　　【主語への命令を表す】

ドイツ語：**Man denke an die Geschichte.**
　　　　　マン　デンケ　アン ディー ゲシ(ヒ)テ
　　　　歴史を思い起こしてみよ。

英　語：*You should think of history.*

**解説**

　接続法の用法として、まず**要求話法**を見ていきましょう。「こうであれ」と要求する言いかたで、**接続法第 1 式**を使います。

　例文の動詞は「**denke**」となっています。これは不定形「denken」から「-n」を取った形なので、たしかに接続法第 1 式ですね。（主語「man」は 3 人称単数なので、人称語尾はつきません。）

　要求話法は、**主語のついた命令形**ともいえます。「（主語）が（動詞）をするように」と要求するものだからです。例文では、「人々は～のことを考えるように」という意味になります。

● 要求話法は、**3 人称単数**でもっとも力を発揮します。前の課（→ p.264）で見たように、3 人称単数のみが、**明らかに現在形と違う形**をしているからです。

● 「**man**」[マン] は**不定代名詞**で、文中では小文字になります。不特定の人や人々を指し、英語では「*one*」「*you*」「*they*」「*people*」などで置き換えられます。

● 要求話法と**命令形**は、形もよく似ています。
　　**Denk(e)** an die Geschichte!　　歴史を思い起こせ！
とすれば、「du」に対する命令形になりますね。

●「sein」の命令形を覚えていますか？　敬称「Sie」に対するとき、
　　**Seien** Sie ruhig!　　お静かに！
となりましたね（→ p.45）。これは実は、**接続法第１式**を使っているのです。
　　sein（不定形）　→　sei（接続法第１式）　→　Sie sei-en（人称語尾）

**ここが違う！**
・要求話法は、３人称の主語への命令を表す

## 例 2　　　　　　　　　　　　　　　【願望を表す】

ドイツ語：**Dein Wunsch möge in Erfüllung gehen.**
　　　　　ダイン　ヴン(シュ)　モェーゲ　イン　エア**フュ**ルン(ク)　ゲーエン
あなたの望みが実現しますように。

英　　語：*May your wish come true.*

**解説**

命令を穏やかにすると、「～しますように」という、祈りに似た**願望**になります。これも、要求話法の１つです。
　例文では、話法の助動詞「**mögen**」が使われています。「～が好きだ」「～かもしれない」という意味の助動詞ですが、**接続法**にすると、「～してほしい」という願望を表す言いかたになります。「（主語）が（動詞）をしてほしい」、つまり、「望みが実現してほしい」となるのですね。

● 「mögen」を使わなくても、願望は表現できます。
　　Dein Wunsch **gehe** in Erfüllung.
　　あなたの望みが実現しますように。

● 英語で「mögen」に対応するのは、やはり助動詞である「*may*」です。
　願望を表すときには、この「*may*」が文頭に置かれます。

● ドイツ語でも、「mögen」を文頭に置くことができます。
　　**Möge** dein Wunsch in Erfüllung gehen.
　　あなたの望みが実現しますように。

> ここが同じ！
> ・助動詞「mögen / *may*」で願望を表す

> ここが違う！
> ・ドイツ語は「mögen」を接続法にする
> ・助動詞がなくても、願望を表現できる（＝要求話法）

---

## 例 3　　　　　　　　　　　　　　　　　　【取り決めを表す】

ドイツ語：**Das sei unser Motto.**
　　　　　ダ(ス)　ザイ　ウンザー　モットー
　　これをわれわれのモットーとしよう。

英　語：*This should be our motto.*

### 解説

　要求話法には、「**取り決め**」を表す言いかたもあります。命令ほどきつくはありませんが、願望よりは強引な要求ですね。「（主語）は（動詞）であるとする」と勝手に取り決めてしまうのです。

例文の動詞は「**sei**」です。もう覚えましたか？　「sein」の**接続法第1式**でしたね。**現在形**に直すと、

　　　Das ist unser Motto.　　これがわれわれのモットーです。

となり、**事実を述べる**言いかたになりますが、ここでは**要求話法**なので、「これがわれわれのモットーであるとする」というように、**話者の頭の中の世界**を表現する言いかたになるのです。

● 「取り決め」はほかに、数学の問題文などにも使われます。
　　　Der Winkel A **sei** 90 Grad.　　角 A は 90 度とする。
　　　ヴィンケ(ル)　アー　ザイ　ノインツィ(ヒ)　(グ)らー(ト)

● **接続法の意味**は、**文脈によって決まり**ます。例文はほかに、
　　・これをわれわれのモットーとせよ。（＝要求話法＞命令）
　　・これをわれわれのモットーにできますように。（＝要求話法＞願望）
　　・これがわれわれのモットーだそうだ。（＝間接話法）
　　などと訳すこともできます。

**ここが違う！**
　　・要求話法は、「取り決め」も表す

**コラム**

〔英語が見えてくる！〕英語で原形を使うとき

　接続法第1式は不定形から作り、要求を表します。英語でこれに近いのが、原形を使って要求・提案などを表す言いかたです。

**1) 願望・祈願**
　主語が3人称単数なのに、動詞が原形の場合、「～しますように」という願望・祈願を表す文になります。文語表現や、慣用的な表現が多いようです。
　　God **help** me.　神よ、私を助けたまえ。
　　Long **live** the queen!　女王陛下万歳！

● 助動詞「*may*」を文頭につけることもあります〔＝例2を参照〕。

**2) 要求・提案・必要**
　例1と例3では、英語の例文に助動詞「*should*」を使いました。この「*should*」には、「命令・決定・提案・主張・必要」などを表す用法があるからで、まさにこれはドイツ語の要求話法と重なるところが多いためです。
　また、主にアメリカ英語では、動詞の原形のみを使う言いかたがあります。「要求話法」そのものですね。

　　He insisted that his son **study** abroad.
　　　息子が外国で勉強することを、彼は主張した。

　　It *is* important that he **learn** a foreign language.
　　　彼が外国語を学ぶことは重要だ。

● 英語では、動詞の原形を使う用法を、「仮定法現在」とよんでいるようです。

● イギリス英語では助動詞の「*should*」を加えて、
　　He insisted that his son **should** study abroad.
　などとするのが標準的なようです。

# 5 間接話法 —「時制の一致は不要！」

## 例 1 【接続法第 1 式を使う】

ドイツ語：**Er sagt immer, er sei müde.**
エア ザー(クト) インマー エア ザイ ミューデ
彼はいつも、疲れたと言っている。

英　語：*He is always saying that he is tired.*

### 解説

**接続法第 1 式**でもっとも頻繁に使われる用法は、**間接話法**です。だれかが言ったことを、そのままの形ではなく、**自分の頭の中にあるもの**として伝える表現です。

例文で確認してみましょう。「sei」というのは、動詞「sein」の**接続法第 1 式**でしたね。現在形に直すと、

　　Er sagt immer, er ist müde.

となります。このままでも間違いではありませんが、「ist」を「sei」に変えることで、人からの**伝聞**であることを強調できるのです。

● 主動詞を**過去形**にしても、英語のように、発言内容を過去形にする必要はありません。「sei」という形を見れば、伝聞であることが明確にわかるからです。

　　Er sagte immer, er sei müde.
　　　ザー(ク)テ
　　彼はいつも、疲れたと言っていた。
　　*He was always saying that he was tired.*
　　（英語は時制の一致のため、発言内容も過去形になります。）

● 「**dass**」を使った**副文**にもできます。
　　Er sagt immer, dass er müde sei.
　　　　　　　　　　ダ(ス)
　　彼はいつも、疲れたと言っている。

**ここが同じ！**
・間接話法で、他人の発言内容を伝えられる

**ここが違う！**
・ドイツ語は接続法第１式を使い、時制の一致は不要
・英語は時制の一致が必要になる

## 例 2　　　　　　　　　　　【時制がずれるときは完了形】

ドイツ語：**Er sagte, er habe sich verschlafen.**
　　　　　エア ザー(ク)テ エア ハーベ　ズィッ(ヒ) フェア(シュ)ラーフェン
　　彼は、寝坊したと言った。

英　語：*He said that he had overslept.*

**解説**

　次は、**発言内容が過去の場合**を見ていきましょう。発言している時点ですでに終わっていることなので、**接続法が完了形**になります［→Ⅴ-3「接続法とは」例3を参照］。

　接続法を完了形にするには、「haben / sein ＋ 過去分詞」のうち、「haben / sein」の部分を接続法にすればよいのでしたね。例文ではそのとおり、「**habe ... verschlafen**」となっています。主動詞の「sagte」は過去形ですが、発言している時点で、「寝坊した」という事実はそれよりも過去なので、**間接話法が完了形**になっているのです。

- 英語では、主動詞「*said*」よりも過去にするため、**過去完了形**を使っています（=*時制の一致*）。

- ドイツ語では**発言時点と発言内容の時間軸がずれている**とき、英語では*主動詞と時制を一致させる*ため、それぞれ間接話法の部分の時制を過去にずらします。

  ① **発言時点が現在形**で、**発言内容が過去形**の場合

  （= Er sagt: „Ich war zu Hause." / *He says, "I was at home."*）
  Er sagt, er **sei** zu Hause gewesen.　彼は、家にいたと言っている。
  *He says that he was at home.*
  ⇒　時間軸がずれるため、ドイツ語では**接続法が完了形**になります。

  ② **発言時点が過去形**で、**発言内容が現在形**の場合

  （= Er sagte: „Ich bin zu Hause." / *He said, "I am at home."*）
  Er sagte, er **sei** zu Hause.　彼は、家にいると言った。
  *He said that he was at home.*
  ⇒　ドイツ語では時間軸がずれません。英語は「*時制の一致*」を行います。

ここが違う！
- 英語では、主動詞と間接話法の時制を一致させる
- ドイツ語では時制がずれるときに、接続法を完了形にする

## 例 3　　【接続法第 2 式を使うとき】

ドイツ語：**Sie sagten, sie hätten sich verschlafen.**
　　　　　ズィー　ザー(ク)テン　ズィー　ヘッテン　　ズィッ(ヒ)　フェア(シュ)ラーフェン
　　　　　彼らは、寝坊したと言った。

英　語：*They said that they had overslept.*

**解説**

ところで、**接続法第1式**は動詞の不定形から作るため、**現在形とよく似ている**箇所がありました。動詞の「haben」で確かめてみましょう。

現在形： ich habe　wir haben　　接続法第1式： ich habe　wir haben
　　　　du hast　 ihr habt　　　　　　　　　　du habest ihr habet
　　　　er hat　　sie haben　　　　　　　　　 er habe　 sie haben

見比べると、一目瞭然ですね。**1人称単数・複数**と、**3人称複数**の活用形がそれぞれ同じです。そのため、接続法第1式を使って**間接話法**を作ると、現在形と見分けがつかなくなってしまいます。

　　Sie sagten, sie **haben** sich verschlafen.
　　彼らは、寝坊したと言った。

このような場合に、**接続法第2式の形を借りて**くることがあります。非現実話法などの意味はまったくないのですが、「接続法」であることを強調するため、現在形と同じ第1式ではなく、形だけ第2式を使うのです。

● 最近のドイツ語では、第1式よりも第2式のほうが好んで使われる傾向があるため、現在形と同じにならなくても、間接話法に第2式を使うことがあります。

　　Er sagte, er **hätte** sich verschlafen.　彼は、寝坊したと言った。

**ここが違う！**

・接続法第1式が現在形と同じ場合に、間接話法で接続法第2式の形を借りることがある

> コラム

## 〔英語が見えてくる！〕接続法は時制ではない

　接続法は、時制ではありません。現在や過去などの時間軸を示すのではなく、「法」の一種で、ドイツ語では、事実を述べる**直説法**と、頭の中の世界を伝える**接続法**と、**命令法**の 3 つを区別しています。（時制がある世界は、すべて直説法です！）

　時制ではないため、間接話法で使うとき、直説法を転用している英語との違いが、どうしても出てきてしまいます。いくつか見てみましょう。

### 1）時制の一致

　***英語の間接話法***には、***現在形・過去形・過去完了形***といった直説法を使います。これらは「時制」ですので、主動詞の時制に引きずられて「***時制の一致***」が起こります。

　　He said that he **was** at home.　彼は、家にいると言った。
　　He said that he **had been** at home.　彼は、家にいたと言った。

　**ドイツ語の間接話法**には**接続法**を使います。もともと**時制がない**世界なので、主動詞が過去形になっても、接続法自体を過去にする必要はないのです。（時間軸がずれる場合には、接続法を完了形にします［→例 2 を参照］。）

　　Er sagte, er **sei** zu Hause.　彼は、家にいると言った。
　　　　エア ザイ ツー ハウゼ

　　Er sagte, er **sei** zu Hause gewesen.　彼は、家にいたと言った。
　　　　エア ザイ ツー ハウゼ　ゲヴェーゼン

### 2）主動詞の省略

　英語の間接話法には直説法を使うので、基本的にいつも、「*he said*」など、***だれかが発言したことなどを示す情報***が必要になります。

　　He said that he was tired. He had overslept.
　　　　彼は、疲れたと言った。彼は寝坊してしまっていた。
　⇒　第 2 文には、だれかが発言した旨が書いてありません。この文は間接話法ではなく、直説法ということになり、***事実を述べた文***になります。

ドイツ語では接続法を使うため、間接話法であることが動詞の形からわかるので、**間接話法の部分だけを独立**させることができます。

　　　Er sagte, er **sei** müde. Er **habe** sich verschlafen.
　　　　彼は、疲れたと言った。**寝坊したのだそうだ。**

⇒　第2文には、だれかが発言した旨は書いてありませんが、動詞が「**habe**」となっていて**接続法**なので、**間接話法**であることがわかります。

## 3）発言者の確信の度合い

ドイツ語ではさらに、間接話法の部分を使い分けることによって、発言者がどの程度、その発言内容を確信しているかがわかります。

① 直説法を使う

　　　Er sagt immer, er ist müde.　彼はいつも、疲れたと言っている。

⇒　事実を述べるための直説法を使っているので、発言者は、**発言内容が事実であると確信**しています。

② 接続法第1式を使う

　　　Er sagt immer, er sei müde.　彼はいつも、疲れたと言っている。

⇒　間接話法で使うべき第1式を使っているので、**もっともニュートラルな伝聞方法**です。発言者が発言内容を確信しているかどうか、ここからは判断できません。

③ 接続法第2式を使う

　　　Er sagt immer, er wäre müde.　彼はいつも、疲れたと言っている。

⇒　**非現実話法**で使うべき第2式を使っているので、発言者はどちらかというと、**発言内容に疑問**を持っていることがうかがえます。

● 発言者がいつも、ここに挙げた違いを意識して発言しているわけではありません。特に会話では、接続法第1式は敬遠される傾向にあり、機械的に①か③をあてはめている例もあるからです。参考程度にとどめておいてください。

# 6 非現実話法 ―「なぜ過去形が仮定法になるのか」

### 例 1 【接続法第 2 式を使う】

ドイツ語: **Wenn** ich Zeit **hätte**, **ginge** ich ins Kino.
　　　　ヴェン　イッ(ヒ) ツァイ(ト) ヘッテ　ギンゲ　イッ(ヒ) イン(ス) キーノー
時間があったら、映画に行くのに。

英　　語: *If* I *had* time, I *would* go to the movies.

**解説**

次に、**接続法第 2 式**を見ていきましょう。もっとも代表的な使いかたが、**非現実話法**です。これは英語の*仮定法*にあたるもので、発想はまったく同じです。**現実とは違うことを想定する**という、やはり**頭の中の世界**を表すのです。

例文では、「**hätte**」[ヘッテ] と「**ginge**」[ギンゲ] が接続法第 2 式になっていますね。それぞれ、過去形 (hatte / ging) から作られています。文頭の「**wenn**」[ヴェン] が「*if*」にあたり、「もし〜なら」という**条件**を表します。「いま時間がない」というのが現実だけれど、「仮にもしあったとしたら」という**仮定**を非現実話法で示し、その**帰結**にあたる後半部分も、「(本当は行けないけれど) 映画に行くのになあ」という、仮想の話になっています。

● **直説法**で書き換えると、次のようになります。
　　Wenn ich Zeit habe, gehe ich ins Kino.
　　　　　　　　　ハーベ　ゲーエ
　　時間があれば、映画に行く。

　　*If I have time, I will go to the movies.*

→ **事実を述べる文**になるので、「時間があれば行くし、なければ行かない」という意味になります。

● 英語の**仮定法**では、**条件**を述べる文は**動詞が過去形**になり、**帰結部**では**助動詞の過去形**（ここでは「*would*」）を使います。（ドイツ語では、条件と帰結とで動詞の構造に違いはありません。）

### ここが同じ！
・非現実話法（仮定法）で、現実とは違うことを表現できる

### ここが違う！
・ドイツ語は接続法第２式、英語は動詞や助動詞の過去形を使う

---

## 例2　【「würde＋不定形」で代用できる】

ドイツ語：**Wenn** ich Zeit **hätte**, **würde** ich ins Kino **gehen**.
ヴェン　　イッ(ヒ) ツァイ(ト) ヘッテ　ヴュ(る)デ　イッ(ヒ) イン(ス)　キーノー　ゲーエン

時間があったら、映画に行くのに。

英　語：**If** I **had** time, I **would go** to the movies.

#### 解説

非現実話法には、動詞の接続法第２式を使わない、もっと便利な言いかたもあります。助動詞「**würde**」［ヴュ(る)デ］の助けを借りるのです。例文では、「würde ... gehen」となっていますね。

この「würde」は、助動詞「**werden**」の**接続法第２式**です。これを**動詞の不定形と組み合わせて**、動詞の接続法第２式の代わりにするのです。(ginge ＝ würde gehen)

- 例1と例2では、**意味の違いはありません**。最近のドイツ語では、「würde ＋不定形」で置き換えることのほうが多いので、例1のほうが、どちらかというと古めかしく聞こえるだけです。

- 「**würde**」という形は、英語の「***would***」に相当します。
  werden（未来の助動詞）→ wurde（過去形）→ würde（接続法第2式）
  will　　（　　〃　　）　→ would（過去形）→ would（仮定法の形）

- **未来形の接続法**、と解釈することもできます。この場合、未来の現実性をやわらげる言いかたになります。（＝婉曲話法）
  Ich werde ins Kino gehen.　　映画へ行こうと思います。（未来形）
  Ich **würde** ins Kino gehen.　　映画へ行こうかと思います。（接続法）

  ここが同じ！
  ・非現実話法に助動詞を使う

  ここが違う！
  ・ドイツ語では「würde ＋不定形」になる。

---

## 例 3　　　　　　　　　　　　　　【過去の仮定は完了形】

ドイツ語：**Wenn** ich Zeit gehabt hätte, wäre ich
　　　　　ヴェン　イッ(ヒ)　ツァイ(ト)　ゲハ(プト)　ヘッテ　ヴェーれ　イッ(ヒ)
　　　　　ins Kino gegangen.
　　　　　イン(ス)　キーノー　ゲガンゲン
　　　　　時間があったら、映画に行っていたのに。

英　語：**If** I had had time, I would have gone
　　　　to the movies.

> **解説**

　最後に、**過去の事実とは反する仮定**を見ていきましょう。ドイツ語の場合、接続法で過去のことを言うには、**接続法の完了形**を使うのでしたね［→Ⅴ-3「接続法とは」例3を参照］。

　例文は、「過去のあるときに、時間がなかった」という現実があり、「もし仮に、そのときに時間があったとしたら」という**仮定**を、接続法の完了形を使って述べています。そして、それを受ける**帰結**の部分も、同じく接続法の完了形です。「gehabt **hätte**」［ゲハ(プト)ヘッテ］、「**wäre** ... gegangen」［ヴェーれ ゲガンゲン］というように、「**haben / sein** ＋過去分詞」の中の**助動詞**が、それぞれ**接続法第2式**になっていますね。

● 英語の*仮定法*では、過去のことを言うには、時制をさらに過去にずらし、*過去完了形*を使います。*帰結*の部分ではやはり*助動詞*を使い、「*助動詞の過去形＋ have ＋過去分詞*」という組み合わせになります。

● 英語では、例3のように*過去完了形*を使う仮定法を「*仮定法過去完了*」、例1のように*過去形*を使う仮定法を「*仮定法過去*」というようです。*現在*の事実と反する仮定法が「*過去*」、*過去*の事実と反する仮定法が「*過去完了*」になります。時制が1つずつ過去にずれているわけですね。

> **ここが同じ！**

・非現実話法（仮定法）で、過去のことも表現できる

> **ここが違う！**

・ドイツ語では接続法第2式の完了形、英語では過去完了形を使う

> **コラム**

## 〔英語が見えてくる！〕なぜ過去形が仮定法になるのか

　なぜ英語では、**仮定法で過去形**を使うのでしょうか？　純粋に英語の視点だけで考えると、過去形を使うことで**現実感を薄れさせ**、「目の前にない、**遠いこと**」＝「現実とは違う、**仮想の世界**」という類推から、過去形で仮定の話ができる、という説明がなされているようです。

　しかし、ドイツ語を学べば一目瞭然ですね。英語の仮定法は、実は**接続法**だったのです！　非現実話法で使う接続法は、過去形から作る**第2式**を使うのでしたね。

　　|Wenn| ich Zeit **hätte**, **ginge** ich ins Kino.
　　時間があったら、映画に行くのに。
　　|*If*| I ***had*** time, I ***would go*** to the movies.

という例文（＝例1）では、①「**hätte**」と「***had***」、②「**ginge**」と「***would go***」が対応しています。①の「*had*」は、実は過去形ではなく、***接続法第2式の英語版***ととらえることができるのです。

　　haben（不定形）　→ hatte（過去形）　→ hätte（接続法第2式）
　　have（原形）　　 → had（過去形）　　→ had（仮定法過去）

　②の「ginge」は、「würde ... gehen」と書き換えることもできましたね〔→例2〕。そしてこの「würde」は、やはり英語の「*would*」と対応するのでしたね。つまり、

　　würde ... gehen ＝ *would go*

となり、やはり接続法第2式の英語版、というわけです。

　英語には、過去形から接続法を作る、という発想がなかったようで、接続法の形がありません。そのため、ドイツ語の接続法第2式に近い「過去形」を、しかたなく（？）「仮定法」にあてているのだ、ということが言えそうです。これからはぜひ、「接続法」だと思って読んでみてください！

**ポイント：簡素化のしくみ**

英語には接続法の形がない　→　過去形をあてて「仮定法」としている

# 7 | 婉曲話法 ―「なぜ過去形で丁寧になるのか」

## 例 1　【遠回しの言いかた】

ドイツ語：**Ich würde mich freuen, wenn Sie es tun könnten.**
イッ(ヒ)　ヴュ(る)デ　ミッ(ヒ)　(フ)ロイエン　ヴェン　ズィー　エ(ス)　トゥーン　コェンテン

あなたがそれをしてくださったら、うれしいのですが。

英　語：*I would be happy if you could do that.*

### 解説

接続法第2式のもう1つの用法は、**婉曲話法**です。ストレートな物言いを避け、遠回しな言いかたをする表現で、**外交的接続法**ともいいます。接続法第2式から受ける「非現実」感を応用し、現実のことをまるで現実でないかのようにオブラートで包む、という用法です。

例文を見てみましょう。「**würde ... freuen**」も「**tun könnten**」も、
ヴュ(る)デ　(フ)ロイエン　　トゥーン　コェンテン
助動詞の部分が**接続法第2式**になっていますね。非現実話法として解釈すると、「あなたはそれをしてくれないけれど、もし仮にしてくれるのであれば、私はとてもうれしいと思うだろう」という**仮定の話**になります。しかし、ここではまったく同じ文が、**現実味のある婉曲表現**として使われています。そして心の中では、「してくださいね」と思っている、というわけです。

● 例文を直説法で書き換えてみましょう。ストレートな言いかたになりますね。

　　Ich freue mich, wenn Sie es tun können.
　　　　(フ)ロイエ　　　　　　　　　　コェンネン
　　あなたがそれをしてくださるのであれば、うれしいです。
　　I will be happy if you can do that.

● 英語でも、**助動詞の過去形**を使って**丁寧な表現**ができます。これはもちろん、過去形が**仮定法**として使われているからですね。

【ここが同じ！】
・非現実話法（仮定法）と同じ言いかたで、婉曲表現ができる

【ここが違う！】
・ドイツ語は接続法第2式、英語は仮定法過去を使う

---

### 例2　　　　　　　　　　　　　　　　　　　　【丁寧な言いかた】

ドイツ語：**Würden Sie bitte hierher kommen?**
　　　　　ヴュ(る)デン　ズィー　ビッテ　ヒーアヘア　コンメン
　　　　　こちらへいらしていただけますか？

英　語：*Would you come this way?*

**解説**

　婉曲表現としての接続法を使って、**依頼や助言、提案**などを丁寧に言うこともできます。このとき、「**würde**」や「**könnte**」「**möchte**」など、
　　　　　　　　　　　　　　　　　　ヴュ(る)デ　　コェンテ　　モェ(ヒ)テ
助動詞の**接続法第2式**がよく使われます。（いずれもウムラウトがついていますね！）

例文は、「**würde ... kommen**」となっています。接続法をはずすと、
　<u>Kommen</u> Sie bitte hierher!　こちらへいらしてください。
　*Will you <u>come</u> this way?* =　<u>Come</u> *this way.*
というように、**命令**を表す文になります。

● 婉曲話法の「**würde**」には、「もし、してくださるのであれば」という**仮定**（＝非現実話法）が含まれているとも考えられます。だから、へりくだった丁寧な言いかたになるのですね。

● 例１も一種の「依頼」ではありましたが、もってまわった言いかたをしていました。例２にならって書き換えると、
　**Könnten** Sie es <u>tun</u>? それをしてくださいますか？
　***Could** you <u>do</u> that?*
となって、やはり、「もしできるのであれば」という意味が「könnte」という接続法第２式に込められます。

### ここが同じ！
・助動詞の接続法第２式（＝仮定法過去）を使って、丁寧な表現ができる

## 例 3　　　【断定を避ける】

ドイツ語：**Das <u>wäre</u> der richtige Weg.**
　　　　　ダ(ス)　ヴェーれ　デア　り(ヒ)ティゲ　ヴェー(ク)
これが正しい道じゃないかな。

英　　語：*That <u>would</u> <u>be</u> the right way.*

### 解説
最後に、**断定を避ける**言いかたを紹介しましょう。ストレートに言い切るのではなく、主張や願望をやわらげる表現です。

例文では、「**wäre**」が**接続法第 2 式**になっています。直説法に直すと、
　　Das ist der richtige Weg.　これが正しい道です。
　　*This is the right way.*
となり、主張を事実としてストレートに述べています。**婉曲話法**ではこれをぼかし、「〜かもしれない」「〜だろう」などといった意味合いを含ませて、断定を避けているのです。ドイツ語にも、こんな奥ゆかしい一面があるのですね！

● 例文はほかに、**文脈**によって**間接話法**や**非現実話法**としても解釈できます。
　　・これが正しい道だそうだ。（＝間接話法）
　　・（もし〜だったら）これが正しい道だったのに。（＝非現実話法）

● **控えめな願望**を表す表現を 2 つ、覚えておきましょう。会話でよく使われます。
　① **möchte**（＝ mögen の接続法第 2 式）［＝ *would like*］
　　モェ(ヒ)テ

　　　Ich **möchte** eine neue Tasche.　新しいカバンがほしいなあ。
　　　　モェ(ヒ)テ　　　ノイエ　タッシェ

　　　Ich **möchte** mit der Bahn fahren.　電車で行きたいなあ。
　　　　　モェ(ヒ)テ　ミッ(ト) デア バーン ファーれン

　② **hätte**（＝ haben の接続法第 2 式）＋ **gern**（副詞）
　　ヘッテ　　　　　　　　　　　　　　　　ゲ(る)ン
　　　　　　　　　　　　　　　　　　　　　　［＝ *would like*］

　　　Ich **hätte gern** eine neue Tasche.
　　　　ヘッテ　ゲ(る)ン　アイネ　ノイエ タッシェ
　　　新しいカバンがほしいのですが。

　ここが違う！
　　・動詞を接続法第 2 式にすることで、主張や願望をやわらげることができる

> コラム

## 〔英語が見えてくる！〕助動詞と過去形

　英語の**助動詞**には、それぞれ**過去形**があります。しかし、「**助動詞の過去形は過去ではない**」と習って、頭が混乱した人もいることでしょう。ここもぜひ、ドイツ語の知識を使って、「助動詞の過去形は**接続法**である」と考えてみましょう！

### 1) *can / could*

　**能力**や**可能**を表す助動詞です。過去形には、①**過去**としての意味と、②**仮定法**としての意味があります。②は**形が過去**ですが、**意味が現在**になります。まさに**接続法第2式**（＝仮定法過去）、というわけですね。

　　I could sleep all day long.　①　一日中眠ることができた。（過去）
　　　　　　　　②（眠ろうと思えば）一日中眠ることができる。（仮定法）

⇒ドイツ語では、過去形と接続法がはっきり区別できます。

　①　Ich konnte den ganzen Tag schlafen.
　　　　コンテ　　　ガンツェン　ター(ク)　(シュ)ラーフェン
　　　一日中眠ることができた。（過去）

　②　Ich könnte den ganzen Tag schlafen.
　　　　コェンテ
　　　一日中眠れるかもしれない。（接続法）


### 2) *may / might*

　**許可**や**推量**を表します。過去形が過去の意味になることはほとんどなく、「*might*」は主に、**推量**の意味で使われます。**形が過去**なのに、**現在の推量**に使われるのは、これも**接続法**だから、ですね。（なお、「*may*」と「*might*」に意味上の差はほとんどないようです。）

　　You might be wrong.　あなたは間違っているかもしれません。

3) *will / would*

**未来**や**意志**を表しますが、**過去形**では①**過去の習慣**や、②**現在または過去の推量**と、③**丁寧な言いかた**に使います。②と③が**接続法**にあたりますね。

  *He <u>would</u> <u>go</u> to the movies.*　① 彼はよく映画に行ったものだった。
           ② 彼は映画に行く／行っただろう。

4) *shall / should*

**未来**や**意志**を表す「*shall*」と、**義務**や**助言**、**推量**を表す「*should*」は、互いに別物だと思ったほうが理解がしやすいようですが、これも実は**接続法**であり、**形は過去**なのに**意味は現在**を表しているのです。

  *He <u>should</u> <u>be</u> wrong.* 彼は間違っているはずだ。

5) *must*

**必然**を表す「*must*」には、**過去形がありません**。もしかしたら、助動詞にはもともと過去形がなかった（？）ことを示す、重大な証拠かもしれませんね。
（「*must*」を過去形にしたいときは、「*had to*」で代用します。）

● 助動詞の過去形を**接続法**として考えると、過去形なのに**なぜ現在を表すのか**が理解できるかと思います。**接続法は時制ではない**ため、過去形に近い形ではあっても、現在のことを言うのでしたね。これからはぜひ、英語でも接続法を体感してみてください！

> 第5部のまとめ

## 1. zu 不定詞
（1）名詞的用法 … 「～すること」と訳す
（2）形容詞的用法 … 直前の名詞を修飾する
（3）前置詞とつなげる場合は、「da ＋前置詞」の形を使う
（4）副詞的用法 … 「um ＋ zu 不定詞」で「～するために」
☆「zu 不定詞句」は、「zu ＋不定形」が最後に置かれる！

## 2. 現在分詞
（1）不定形に「-d」をつける　→「-nd」で終わる！
（2）「～している」「～しつつある」と能動的な意味になる
※過去分詞は「～される」（受動）または「～してしまった」（完了）の意味
※「zu ＋現在分詞」は「～されるべき」「～されうる」という受動的な意味
（3）形容詞として … 付加情報がある場合は「冠飾句」になる
（4）副詞として … 付加情報がある場合は、分詞構文になる
☆英語のように進行形は作らず、動名詞にもならない！

## 3. 接続法
（1）接続法第1式 … 動詞の不定形から作り、人称語尾をつける
　　① 要求話法は、命令・願望・取り決めなどを表す
　　② 間接話法は、時制の一致が不要
　　　（時制がずれる場合は、接続法を完了形にする）
（2）接続法第2式 … 動詞の過去形から作り、人称語尾をつける
　　① 非現実話法は、「würde ＋不定形」でも代用できる
　　　（過去のことは、接続法第2式を完了形にする）
　　② 婉曲話法は、丁寧な言いかたになる
　　③ 間接話法に使うこともある

> **エピローグ**

## 文章の流れ ― マクロな視点から

　これまで、英語とドイツ語の文法を細かく分解しながら比較してきました。似ている点、違っている点がいろいろあって、英語に対する新たな発見も多かったことでしょう。ここでは趣向を変えて、いわばマクロな視点から総括的に、それぞれの「文章の流れ」を比較していこうと思います。

【英語はジェットコースター！?】

　著者はドイツに留学中、ほとんど英語に触れることなく生活していましたが、それでも何度か、英語の文献を読む機会はありました。そのときに感じたのが、「英語は読みにくい」ということ。そして、語順があまりに違うので、天地が引っくり返っているような錯覚を起こし、ジェットコースターに乗っているかのように、頭がくらくらしてくるのでした。

　帰国後、英語を話す練習を始めてからは、また別の難しさにぶち当たりました。頭に浮かぶドイツ語を英語に直していくため、中学1年の英語で習った、

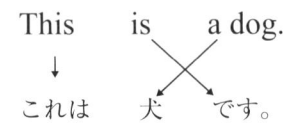

$$\begin{array}{ccc} \text{This} & \text{is} & \text{a dog.} \\ \downarrow & & \\ \text{これは} & \text{犬} & \text{です。} \end{array}$$

のような図式に沿って英単語を並べていかなくてはならず、非常にたどたどしいものになりました。

　語順だけではありません。動詞の変化も、時制の使いかたも違ってきます。また、冠詞はつけるのか、どの前置詞を使うのか、といった語法レベルでも、違いはたくさんあります。

　以下では、著者が英語で苦労した経験から、英独の「文章の流れ」について、**根本的な違いを2つに絞ってみました**。ぜひお付き合いください。

## 1. 主語と動詞が引っくり返らない
### (1) *主語から始める*

　ドイツ語は何かを言いたいときに、**思いついた語から文を始める**ことができます。口から出た語が副詞や目的語であっても、全然構いません。涼しい顔をして、そのあとに「**動詞→主語**」と続ければよいのです［→Ⅰ-2「動詞の位置」、Ⅱ-3「格変化とは」を参照］。これに対し、英語は「**主語→動詞**」という順番が決まっているので、*最初に口にした語を主語*にしなくてはいけません。ドイツ語の自由な語順に慣れてしまうと、「主語を必ず先に言う」という習慣が、とても窮屈に感じられたものでした。

　たとえば、「これ、いいね！」と言いたかったとします。ドイツ語では「これ = das」で文を始めて、2通りの言いかたができます。

　　　Das ist gut.（1）　これは良い。
　　　Das finde ich gut.（2）　これは良いと思う。

この場合、(1) の「das」は**主語**、(2) の「das」は**目的語**になります。つまり、「これ」と頭で思って「Das ...」と言い始めた時点で、この「das」は主語にしてもいいし、目的語にしてもいいのです。このあたり、日本語とも似ていますね。

　ところが英語では、「これ = *this*」で文を始めると、自動的にこの語が*主語*になりますので、(2) の言いかたは通常では不可能、ということになります。

　　　*This is good.*（1）　これは良い。
　△　*This I find good.*（2）　これは良いと思う。［*倒置*］

### (2) *副詞のあとの語順*

　ドイツ語でいう「**定形第 2 位**」の原則［→Ⅰ-2「動詞の位置」］は、慣れてしまうと実に気持ちのよいもので、快感さえ覚えます。ちょうどバスケットボールのピボットのように、回転軸となる足（＝動詞）があり、もう片方の足（＝主語、目的語、副詞など）は自由に動き回れるのです。

　この「**動詞→主語**」という語順は、ドイツ人にも安心できるものらしく、

295

著者は次のような言いかたを、ドイツ滞在中に何度も耳にしたことがあります。

  Heute **habe ich** an der Kreuzung ... **habe ich** ein Polizeiauto gesehen.
  今日、交差点でね…、あのね、パトカーを見たよ。

文法的に見ると、「habe ich」が重複しているので正しくない文ですが、途中で言いよどんでいる間に、話者の頭の中では、「an der Kreuzung」から文を始めたものと勘違いされてしまい、再度「habe ich」を挿入したものと思われます。2度目の「habe ich」はなくても文は成り立ちますが、次の言葉をさがしている間の接着剤として「動詞→主語」の回転軸が使われていることが、よくうかがえることと思います。

 しかし英語では、この回転軸が使えません。**副詞で文を始める**と、次は必ず「**主語→動詞**」が続きます。「*Yesterday ...*」と文を始めて、動詞を言ってしまいそうになるのをぐっとこらえ、頭の中で必死に主語をさがす…という手順を踏んでいた著者の英語は、もどかしいものだったことでしょう。読むときも、副詞のあとに動詞を期待しているのに、「主語→動詞」という逆の順番で文が進んでいくので、何度も目まいを感じたものでした。

## 2. ワク構造がない
### (1) *目的語の位置*

 英語の目的語は、**動詞のすぐあと**に来ます。そのため、「**動詞＋目的語**」が聴覚的にも視覚的にも密接につながり、1つの概念を作り出すことが容易になります。ところがドイツ語では、動詞と結びつく目的語は、動詞と遠く離れて**文末**に来ます。**動詞と結びつきの強い語は文末に置かれる**傾向があるためです。

 本文でも紹介した例文で、確認してみましょう［→Ⅰ-2「動詞の位置」例1］。

  Ich **habe** heute **Geburtstag**. 私は今日、誕生日だ。
  ↓ ↓  ✕
  *I* **have** *my birthday today*.

英語では「*have my birthday*」とセットになっているのに対し、ドイツ語では間に副詞が入り、目的語の「Geburtstag」は文末にありますね。このように、ドイツ語ではあとで言うはずのものが、英語では先に来てしまうので、ここだけ「びゅーん」とコマが早送りされたような錯覚を、読むときには感じましたし、話すときには、頭の中で副詞をうしろに送ってから目的語を前に持ってくるので空白があいてしまい、しどろもどろになってしまったものです。

## (2) 不定形（原形）や過去分詞の位置

　ドイツ語ではあとに来るものが、英語で先に来てしまう例は、まだまだあります。分離動詞、話法の助動詞、完了形、受動態‥‥これらに共通するものは何でしょうか？　そうです。**ワク構造**でしたね。**動詞と結びつきの強い語は文末に置かれる**という原則は、ここでも発揮されます。そして英語では、必ずそばに置かれるのです。

　　　　Ich **muss** heute zu Hause **bleiben**.

　　　　　　　　　　　　　　　　　　　今日は家にいなくてはいけない。

　　　　*I **must stay** at home today.*

英語では「*must stay*」がセットになり、さらに「*stay at home*」もセットになっていて、いずれも分かちがたくつながっているわけですが、ドイツ語では「muss ... bleiben」が遠く離れ、「bleiben」とセットになる「zu Hause」は結果的に、「bleiben」の直前に置かれています。このように、対応関係が何重にも交錯してしまい、読むたびに車酔いのような気分になったこともありました。英語はすっきりした表現を目指すのに対し、ドイツ語は最後にどっしりと重要な語を言うことで印象づける‥‥ような気がします。

## (3) 従属節などでの動詞の位置

　ほかに語順が大きく異なるものとして、**従属節**と**副文**の対応関係があります。こちらも、ドイツ語ではあとに来るものが、英語では先に来るという典

型例です。副文というのは、**動詞が最後に来る文**のことでしたね。しかし、それだけではありません。**zu 不定詞句**や**分詞句**など、副文に準じたものはすべて、ドイツ語では動詞の部分があと回しになります。

英語では*従属節*でも、*to 不定詞句*や*分詞句*においても、*動詞は先*に来ます。そして必ず、「（主語）→動詞→目的語」の順番になります。しかも、英語は前後が**コンマ**で区切られていません。視覚的に見分けるのが困難なうえに、順序も逆行しており、慣れるまで時間がかかった記憶があります。

### (4) *否定文の語順*

最後に、否定文について考えてみましょう。英語では、**動詞の部分を否定**します。このため、**文の初め**のほうで、否定文であることが判明します。これに対してドイツ語では、否定の副詞「**nicht**」も、否定冠詞「**kein**」も、ともに**文のうしろ**のほうに現れます。つまりここでも、ドイツ語ではあとに来るものが、英語では先に来ているのですね。

　　　Es regnet heute **nicht**.　　今日は雨は降りません。

　　*It will **not** rain today.*

　　　Ich habe **keinen** Schirm dabei.　　傘を持ってきていません。

　　*I do **not** have an umbrella with me.*

☆終わりに☆

英語にもすっかり慣れてしまった今では、さすがに目まいを感じることはなくなりました。「すっきり英語」と「どっしりドイツ語」の両方の世界を楽しみ、味わうこともできています。皆さんもぜひ、違いを楽しみつつ（＝苦労を味わいつつ？）、語学人生を豊かにしていってください！

付　録
## 文法用語対照表

　本書の最後に、英語とドイツ語の文法用語を、対比させる形でまとめておきます。あくまで「用語」集ですので、細かな文法上の違い等は考慮していません。「おぼえがき」程度に、順不同に並べただけのものですが、特に2) と3) からは、それぞれの言語のこだわりが見えてくるかと思います。同じもの、違うものを常に意識して、両方の言語を得意になってください！

## Ⅰ．動詞

**1) 「英文法」→「ドイツ語文法」**
- 原形　→　不定形
- 主節、従属節　→　主文、副文
- *to* 不定詞　→　zu 不定詞
- 仮定法　→　非現実話法

**2) 英文法でのみ使用する用語**
- いわゆる「5 文型」
- 進行形（現在進行形、現在完了進行形など）
- 動名詞
- 間接話法における「時制の一致」

**3) ドイツ語文法でのみ使用する用語**
- 定形･･･主語に見合った形になっている動詞のこと（⇔不定形）
- 「定形第 2 位」･･･動詞が文要素の 2 番目に置かれること
- 「定形第 1 位」･･･疑問文・命令文で、動詞が文頭に置かれること
- 分離動詞･･･「前綴り」が分離する動詞
- 非分離動詞･･･「前綴り」が分離しない動詞
- 話法の助動詞･･･助動詞のうち、意味を加えるもの
- 再帰動詞･･･再帰代名詞を伴う動詞

- 未来分詞 … 「zu +現在分詞」
- 接続法第1式 … 動詞の不定形から作られ、要求話法・間接話法に使われる
- 接続法第2式 … 動詞の過去形から作られ、非現実話法・婉曲話法に使われる

**4) 共通するもの**
- 時制 … 現在形、過去形、現在完了形、過去完了形、未来形
- 動詞の3要素 … 不定形（原形）、過去形、過去分詞
- 分詞 … 現在分詞、過去分詞
- 動詞の種類 … 自動詞、他動詞
- 態 … 能動態、受動態

## II. 名詞・代名詞・冠詞

**1)「英文法」→「ドイツ語文法」**
- 主格、目的格 → 1格、3格・4格
- （代名詞以外の）所有格 → 2格
- （代名詞の）所有格 → 所有冠詞

**2) 英文法でのみ使用する用語**
- 可算名詞と不可算名詞の区別

**3) ドイツ語文法でのみ使用する用語**
- 名詞の性（男性・女性・中性）
- 格変化（1～4格）… 名詞、代名詞、冠詞、形容詞などが変化すること
- 否定冠詞 … 否定する名詞の前に置かれる「kein」
- 前置詞の「格支配」… 前置詞のあとの格が決まっていること

**4）共通するもの**
　　・名詞の数 … 単数、複数
　　・冠詞の種類 … 定冠詞、不定冠詞
　　・代名詞の種類 … 人称代名詞、指示代名詞、関係代名詞など
　　・「es / *it*」の用法 … 非人称構文、仮主語・仮目的語、強調構文

## Ⅲ．その他の品詞

1）「英文法」→「ドイツ語文法」
　　・形容詞の叙述用法、限定用法　→　述語的用法、付加語的用法

2）英文法でのみ使用する用語
　　・従属節の区別 … 名詞節、形容詞節、副詞節

3）ドイツ語文法でのみ使用する用語
　　・冠飾句 … 形容詞の付加語的用法を拡大したもの

4）共通するもの
　　・接続詞の種類 … 等位接続詞、従属接続詞、副詞的接続詞（＝接続副詞）
　　・形容詞の比較変化 … 原級、比較級、最上級

> コラム 英語が見えてくる！一覧

〔英語が見えてくる！〕英語の倒置　34
〔英語が見えてくる！〕英語の群動詞（句動詞）　52
〔英語が見えてくる！〕英語の助動詞は不完全？　60
〔英語が見えてくる！〕従属節と副文　75
〔英語が見えてくる！〕however の使いかた　82
〔英語が見えてくる！〕英語で３格を感じてみる　108
〔英語が見えてくる！〕冠詞をつけないとき　123
〔英語が見えてくる！〕es と it は双子の兄弟？　139
〔英語が見えてくる！〕自動詞と他動詞　161
〔英語が見えてくる！〕不規則動詞が似ている？　175
〔英語が見えてくる！〕英語の現在完了形　181
〔英語が見えてくる！〕目的語の種類と受動態　192
〔英語が見えてくる！〕英語の未来形　201
〔英語が見えてくる！〕関係代名詞とコンマ　237
〔英語が見えてくる！〕to 不定詞の用法とドイツ語　252
〔英語が見えてくる！〕英語で原形を使うとき　274
〔英語が見えてくる！〕接続法は時制ではない　279
〔英語が見えてくる！〕なぜ過去形が仮定法になるのか　285
〔英語が見えてくる！〕助動詞と過去形　291

著者略歴

## 宍戸里佳（ししど・りか）

桐朋学園大学にて音楽学を専攻したのち、ドイツのマインツ大学にて音楽学の博士課程を修了。現在、桐朋学園芸術短期大学非常勤講師（楽式を担当）および昴教育研究所講師（ドイツ語を担当）。著書に『大学1・2年生のためのすぐわかるドイツ語』および『大学1・2年生のためのすぐわかるドイツ語 読解編』（東京図書）、訳書に『楽器の絵本』シリーズ（カワイ出版）がある。

ドイツ滞在は、幼少期の5年半（1970年代）、思春期の4年間（1980年代）、留学中の6年半（1990年代）の、計16年。現地の幼稚園および小学校（1年次のみ）に通ったが、その後は大学卒業まで日本語で教育を受け、ドイツ語は大学で学び直した。

英語は（ドイツ滞在中の）中学1年から始め、学校教育のみ。ドイツ留学中は全く使わず、帰国後（2001年）に一からやり直した。ドイツ語で培った語感が大いに役立ち、2002年に英検1級、2003年にTOEIC 975点を取得。

---

### 英語と一緒に学ぶドイツ語

| | |
|---|---|
| 2012年11月25日 | 初版発行 |
| 2025年 5月 5日 | 第16刷発行 |

| | |
|---|---|
| 著者 | 宍戸　里佳（ししど　りか） |
| カバーデザイン | 竹内雄二 |
| 本文イラスト | 田代まき |

©Rika Shishido 2012. Printed in Japan

| | |
|---|---|
| 発行者 | 内田　真介 |
| 発行・発売 | ベレ出版 |
| | 〒162-0832　東京都新宿区岩戸町12　レベッカビル<br>TEL (03) 5225-4790<br>FAX (03) 5225-4795<br>ホームページ https://www.beret.co.jp/ |
| 印刷 | 三松堂株式会社 |
| 製本 | 根本製本株式会社 |

落丁本・乱丁本は小社編集部あてにお送りください。送料小社負担にてお取り替えします。
本書の無断複写は著作権法上での例外を除き禁じられています。購入者以外の第三者による本書のいかなる電子複製も一切認められておりません。

ISBN 978-4-86064-337-9 C2084　　　　　　編集担当　脇山和美

## 本気で学ぶドイツ語

滝田佳奈子 著

A5 並製／本体価格 2300 円（税別）　■ 344 頁
ISBN978-4-86064-269-3 C2084

ドイツ語をイチから始めたい人、もう一度きちんと勉強したいという人のための本格的な入門書です。発音、会話、文法の力を基礎から丁寧に積み上げることが語学学習では重要。本書は1部発音編、2部動詞編、3部名詞編、4部文章編の構成。重要な文法項目では練習問題を随所に入れ、徹底的なトレーニングを行うようになっています。学習範囲はドイツ語検定4級、3級レベル。発音、会話、文法の総合力をきちんと身に付けたい人におすすめの一冊

---

## しっかり学ぶ中級ドイツ語文法

宍戸里佳 著

A5 並製／本体価格 2300 円（税別）　■ 376 頁
ISBN978-4-86064-389-8 C2084

ドイツ語が読めるようになり、基礎文法がひととおり身についたら中級です。中級で学ぶことは、一言でいえばさまざまな文パターンを増やしていくことです。本書では初歩的な文法の復習を随時取り入れ、中級文法の橋渡しをしやすいようにしてあります。文法のエッセンスがつまった基本パターンと応用パターンの例文を CD に全て収録しています。解説を読んで理解し、そして正しい音を聞いて脳に定着させてください。

---

## しっかり身につくドイツ語トレーニングブック

森泉 著

A5 並製／本体価格 2600 円（税別）　■ 400 頁
ISBN978-4-86064-120-7 C2084

ドイツ語の学習者のそばについて、どのように進めていけばいいのかを具体的に教えてくれるトレーナーのような本です。丁寧な文法解説、その練習問題を通じてドイツ語が体系的に学習できるようになっています。練習問題がとにかく豊富にはいっているのが大きな特徴です。文型ごとのドイツ語作文力、単語力、リスニング力がこの1冊で身につきます。